Aprendendo a viver

Livros do autor na Coleção **L&PM** POCKET

Aprendendo a viver
Da tranquilidade da alma precedido de *Da vida retirada* e
    seguido de *Da felicidade*
Sobre a brevidade da vida

LÚCIO ANNEO SÊNECA

Aprendendo a viver
Cartas a Lucílio

Traduzido do latim por Lúcia Sá Rebello
e Ellen Itanajara Neves Vranas

www.lpm.com.br
L&PM POCKET

Coleção **L&PM** POCKET, vol. 662

Texto de acordo com a nova ortografia.

Título original: *Epistulae morales ad Lucilium*

Primeira edição na Coleção **L&PM** POCKET: janeiro de 2008
Esta reimpressão: maio de 2025

Tradução: Lúcia Sá Rebello e Ellen Itanajara Neves Vranas
Capa: Ivan Pinheiro Machado sobre pintura de Alphonse Osbert (*Tardinha na Antiguidade*, 1908, óleo sobre tela, Musée du Petit Palais, Paris).
Revisão: Elisângela Rosa dos Santos e Jó Saldanha

CIP-Brasil. Catalogação na Fonte
Sindicato Nacional dos Editores de Livros, RJ

S479a

Sêneca, ca.4 a.C-ca. 65 d.C.
　Aprendendo a viver / Lúcio Anneo Sêneca; tradução de Lúcia Sá Rebello. – Porto Alegre, RS: L&PM, 2025.
　144p. ; 18 cm – (Coleção L&PM POCKET ; v.662)

　Título original: *Epistulae morales ad Lucilium*
　Apêndice
　ISBN 978-85-254-1718-3

　1. Sêneca, ca.4 a.C-ca. 65 d.C. 2. Estoicos. 3. Conduta - Obras anteriores a 1800. 4. Ética - Obras anteriores a 1800. 5. Filosofia antiga - Obras anteriores a 1800. 6. Cartas espanholas - Obras anteriores a 1800. I. Título. II. Série.

07-4205.　　　　　　　　　CDD: 188
　　　　　　　　　　　　　CDU: 1"652"

© da tradução, L&PM Editores, 2007

Todos os direitos desta edição reservados a L&PM Editores
Rua Comendador Coruja, 314, loja 9 – Floresta – 90.220-180
Porto Alegre – RS – Brasil / Fone: 51.3225.5777

Pedidos & Depto. comercial: vendas@lpm.com.br
Fale conosco: info@lpm.com.br
www.lpm.com.br

Impresso no Brasil
Outono de 2025

Índice

Sêneca e a reflexão sobre as contradições da condição humana – *Lúcia Sá Rebello* / 7

Aprendendo a viver

I – Da economia do tempo / 15
VIII – Da solidão dos filósofos / 17
XII – Da velhice / 20
XXII – Da futilidade das meias-medidas / 24
XXVIII – Da viagem / 29
XXXI – Do canto das sereias / 32
XXXII – Do progresso / 36
XLVII – Do senhor e do escravo / 38
XLIX – Da brevidade da vida / 44
LIV – Da asma e da morte / 48
LX – Das preces nocivas / 50
LXI – Do encontrar a morte com alegria / 52
LXII – Das boas companhias / 54
LXIII – Do pesar pelos amigos falecidos / 55
LXVIII – Da sabedoria e do recolhimento / 59
LXX – Da morte desejável / 63
LXXVII – Do suicídio / 71
LXXX – Dos enganos do mundo / 77
LXXXIV – Do ler e do escrever / 80
LXXXVIII – Das artes liberais / 84
XCIII – Da qualidade da vida comparada com a sua duração / 90
XCV – Da utilidade dos princípios básicos / 94

XCVI – Das contrariedades / 97
XCVIII – Da fugacidade da fortuna / 99
XCIX – Do consolo ao enlutado / 105
CI – Da futilidade de planejar o futuro / 114
CIV – Da eternidade da alma / 119
CIV – Dos cuidados com a saúde e com a paz de espírito / 123
CXIX – Dos benefícios da natureza / 133

Sêneca e a reflexão sobre as contradições da condição humana

*Lúcia Sá Rebello**

Lúcio Anneo Sêneca nasceu em Córdoba, Espanha. Seu pai foi Anneo Sêneca – Sêneca, o velho –, conhecido como retórico e do qual restou apenas uma obra escrita, intitulada *Declamações*. Sêneca, o moço, foi educado em Roma, tendo estudado retórica ligada à filosofia. Em pouco tempo, tornou-se conhecido como advogado e ascendeu politicamente, passando a ser membro do senado romano e, mais tarde, questor (magistrado encarregado das finanças).

Em Roma, o triunfo político não acontecia impunemente, e a notoriedade de Sêneca suscitou a inveja do imperador Calígula, que morreu antes de poder destruí-lo. Dessa forma, Sêneca pôde continuar vivendo com relativa tranquilidade, mas essa não durou muito tempo. Em 41 d.C., foi desterrado para a Córsega sob a acusação de adultério, supostamente com Júlia Livila, sobrinha do novo imperador Cláudio César Germânico.

Na Córsega, Sêneca viveu cerca de dez anos com grande privação material. Dedicou-se aos estudos e redigiu vários de seus principais tratados filosóficos, entre os quais os três intitulados *Consolationes* (*Consolos*), nos quais expõe os ideais estoicos clássicos de renúncia

---

* Lucia Sá Rebello é doutora em Letras. Atua como professora na Universidade Federal do Rio Grande do Sul ministrando disciplinas de graduação e pós-graduação, em especial nas áreas de literatura comparada, tradução e literatura latina.

aos bens materiais e de busca da tranquilidade da alma por meio do conhecimento e da contemplação.

Em 49 d.C., Messalina, primeira esposa do imperador Cláudio, foi condenada à morte. O imperador casa-se, então, com Agripina. Pouco tempo depois, ela manda chamar Sêneca para se encarregar da educação de seu filho Nero, tornando-o, em 50 d.C., pretor.

Sêneca casou-se com Pompeia Paulina e organizou um poderoso grupo de amigos. Logo após a morte de Cláudio, ocorrida em 54 d.C., o escritor vingou-se do imperador com um texto que foi considerado a obra-prima das sátiras romanas, *Apocolocyntosis divi Claudii* (*Transformação em abóbora do divino Cláudio*). Nessa obra, Sêneca critica o autoritarismo do imperador e narra como ele é recusado pelos deuses.

Quando Nero foi nomeado imperador, Sêneca tornou-se seu principal conselheiro e tentou orientá-lo para uma política de justiça e de humanidade. Durante algum tempo, exerceu influência benéfica sobre o jovem, mas, aos poucos, foi forçado a adotar uma atitude de complacência. Chegou ao ponto de redigir uma carta ao Senado para justificar a execução de Agripina, em 59 d.C., pelo filho. Nessa ocasião, foi muito criticado por sua postura frente à tirania e à acumulação de riquezas de Nero, incompatíveis com as suas próprias concepções filosóficas.

O escritor e filósofo destacou-se por sua ironia, arma da qual se utilizava com muita sabedoria, principalmente nas tragédias, as únicas do gênero na literatura da antiga Roma. Conhecidas como versões retóricas de peças gregas, elas substituem o elemento dramático por efeitos violentos, como mortes em cena e discursos agressivos, demonstrando uma visão mais trágica e mais individualista da existência. Sêneca deixou a vida pública em 62 d.C. Dentre seus textos, constam a compilação científica *Naturales quaestiones* (*Problemas naturais*), os tratados *De tranquillitate animi* (*Da tranquilidade da alma*), *De vita beata* (*Da vida beata*), as cartas reunidas em *Sobre a brevidade da vida**, (*De brevitale vitae*) e, talvez sua obra mais profunda, as *Epistolae morales* dirigidas a Lucílio. *As cartas morais*, escritas entre os anos 63 d.C. e 65 d.C, misturam elementos epicuristas com ideias estoicas e contêm observações pessoais, reflexões sobre a literatura e crítica satírica aos vícios da época.

Acusado de participar na conjuração de Pisão, em 65 d.C., Sêneca recebeu de Nero a ordem de suicidar-se, que executou com o mesmo ânimo sereno que pregava em sua filosofia. Conta-se que sua morte foi uma lenta agonia. Abriu as veias do braço, mas o sangue correu muito lentamente; assim, cortou as veias das pernas. Porém, como a morte demorava, pediu a seu médico que lhe desse uma dose de veneno. Como este não surtiu efeito, enquanto ditava um texto a um dos discípulos, tomava banho quente para ampliar o sangramento. Por fim, fez com que o transportassem para um banho a vapor e, ali, morreu sufocado.

Da obra

Chama-se epístola a composição datada e escrita por um indivíduo ou em nome de um grupo com o objetivo de ser recebida por um destinatário. O termo tem uso antigo e constitui gênero literário importante a

---

* Coleção L&PM POCKET, 2006.

partir do conjunto de textos do Novo Testamento que ficaram conhecidos por epístolas. Assim, distingue-se uma epístola de uma carta comum, pois não se destina apenas à comunicação de fatos de natureza pessoal ou familiar, aproximando-se mais da crônica histórica que procura relatar acontecimentos do passado. A utilização do termo alarga-se, posteriormente, a todo tipo de correspondência privada ou oficial, literária ou filosófica, religiosa ou política, tornando-se difícil estabelecer com rigor a diferença entre uma epístola e uma carta. À arte de escrever epístolas ou formas registradas de correspondência escrita entre indivíduos dá-se o nome de epistolografia.

Na literatura latina, são referências obrigatórias do gênero epistolar as Epístolas, de Horácio, as cartas de Varrão, Plínio, Ovídio e, sobretudo, de Cícero, que fixaram um modelo que foi fartamente imitado. Como referência obrigatória, deve-se incluir os textos epistolares de Sêneca, cujo tom coloquial define que o estilo que melhor convém a uma carta não deve conter um acúmulo de conhecimentos dos diversos ramos do saber ou ser afetado.

Sêneca é o mais importante representante da filosofia estoica em seu último período, e suas preocupações são, em essência, éticas. É um filósofo de espírito mais prático que teórico. Afasta-se, em alguns pontos, do estoicismo, aceitando elementos tomados do epicurismo, o que resulta em um ecletismo de caráter moralista, preocupado com a filosofia enquanto ensinamento e consolo para a vida.

Para Sêneca, a filosofia gira em torno da figura do "sábio". A sabedoria e a virtude são a meta da vida moral, o único bem imortal que possuem os mortais.

A sabedoria consistirá, segundo a doutrina estoica, em seguir a natureza, deixando-se guiar por suas leis e seus exemplos. Estando a natureza regida pela razão, obedecer-lhe é obedecer à razão, podendo o homem, assim, ser feliz. A felicidade consiste em se adaptar à natureza para manter um equilíbrio que nos deixe a salvo das vaidades da fortuna e dos impulsos do desejo que obscurecem a liberdade. A liberdade, então, configura-se como a tranquilidade do espírito, a imperturbabilidade do ânimo frente ao destino, ou seja, a ataraxia. Segundo Sêneca, "O melhor é dirigir-te para a sabedoria, onde encontrarás, ao mesmo tempo, tranquilidade e grandes possibilidades de crescimento" (LXXIV).

As cartas que Sêneca envia ao amigo Lucílio fazem parte de uma longa tradição do gênero epistolar, que se prolonga em autores modernos. Essas cartas, escritas entre os anos 63 e 65 d.C., misturam elementos epicuristas com ideias estoicas e contêm observações pessoais, reflexões sobre a literatura e crítica satírica dos vícios comuns na época. Não se sabe se Lucílio existiu ou se configura apenas em mero interlocutor imaginário criado pelo filósofo para desenvolver a sua filosofia à maneira de diálogo, o que foi bastante comum durante muitos séculos.

Nas cartas a Lucílio, Sêneca aborda diversas questões. É um otimista. Considera que todas as pessoas trazem consigo a semente de uma vida honesta, embora os bons exemplos exerçam um papel essencial na adoção das virtudes. A educação moral consiste em fazer com que os atos correspondam aos princípios éticos. Por vezes, a vontade é fraca ou deficiente. Assim, faz-se necessário um guia espiritual. O homem possui uma natureza que o predispõe quer para o bem quer para o mal, e nem sempre possui a força de vontade e a sabedoria suficientes para optar pelo bem em detrimento do mal.

Sêneca traça um programa de heroísmo passivo, que exige uma reformulação da mente para que não se impressione com o horror das dores, da miséria e da morte. Os homens devem auxiliar uns aos outros e viver em sociedade, professando o afeto e a estima. A natureza exige o amor dos elementos que a compõem. Causar dano a outro homem é algo irracional que vai contra a própria essência da natureza.

A morte não é um bem nem um mal, podendo tornar-se uma libertação quando as circunstâncias da vida condenam o homem a uma escravidão incompatível com a liberdade. Dessa forma, está aberto o caminho para que o homem deixe a vida. Nada os obriga a viver na miséria ou no cativeiro. Essas são apenas algumas das inúmeras questões tratadas nas 29 cartas de Sêneca dirigidas a Lucílio que estão reunidas neste volume.

Sem dúvida, muitas das observações e conclusões que fazem parte dessas cartas poderiam ser aplicadas às inquietudes do mundo atual. Sêneca escreveu as mais belas máximas de pureza da vida; nele se uniram todas as perfeições do pensamento humano, a elevação do espírito e o entusiasmo pela virtude. As cartas a Lucílio demonstram sua larga experiência e contêm as reflexões mais profundas sobre as contradições da condição humana.

Que o leitor aprecie a leitura desta obra, fruto de um grande pensador da vida e de suas imprevisibilidades.

Aprendendo a viver

I
Da economia do tempo

Sêneca saúda o amigo Lucílio

Comporta-te assim, meu Lucílio, reivindica o teu direito sobre ti mesmo e o tempo que até hoje foi levado embora, foi roubado ou fugiu, recolhe e aproveita esse tempo. Convence-te de que é assim como te escrevo: certos momentos nos são tomados, outros nos são furtados e outros ainda se perdem no vento. Mas a coisa mais lamentável é perder tempo por negligência. Se pensares bem, passamos grande parte da vida agindo mal, a maior parte sem fazer nada, ou fazendo algo diferente do que se deveria fazer.

Podes me indicar alguém que dê valor ao seu tempo, valorize o seu dia, entenda que se morre diariamente? Nisso, pois, falhamos: pensamos que a morte é coisa do futuro, mas parte dela já é coisa do passado. Qualquer tempo que já passou pertence à morte.

Então, caro Lucílio, procura fazer aquilo que me escreves: aproveita todas as horas; serás menos dependente do amanhã se te lançares ao presente. Enquanto adiamos, a vida se vai. Todas as coisas, Lucílio, nos são alheias; só o tempo é nosso. A natureza deu-nos posse de uma única coisa fugaz e escorregadia, da qual qualquer um que queira pode nos privar. E é tanta a estupidez dos mortais que, por coisas insignificantes e desprezíveis, as quais certamente se podem recuperar, concordam em contrair dívidas de bom grado, mas ninguém pensa que alguém lhe deva algo ao tomar o seu tempo, quando, na verdade, ele é único, e mesmo aquele que reconhece que o recebeu não pode devolver esse tempo de quem tirou.

Talvez me perguntes o que faço para te dar esses conselhos. Eu te direi francamente: tenho consciência de que vivo de modo requintado, porém cuidadoso. Não posso dizer que não perco nada, mas posso dizer o que perco, o porquê e como; e te darei as razões pelas quais me considero miserável. No entanto, a mim acontece o que ocorre com a maioria que está na miséria não por culpa própria: todos estão prontos a desculpar, ninguém a dar a mão.

E agora? A uma pessoa para a qual basta o pouco que lhe resta, não a considero pobre. Mas é melhor que tu conserves todos os teus pertences, e começarás em tempo hábil. Porque, como diz um sábio ditado, é tarde para poupar quando só resta o fundo da garrafa. E o que sobra é muito pouco, é o pior. Passa bem!

VIII
Da solidão dos filósofos

Sêneca saúda o amigo Lucílio

"Tu me aconselhas a evitar a multidão", escreves, "e que me afaste e me contente com a minha consciência? Onde estão aqueles teus preceitos que recomendam morrer em ação?" O quê? Pensas que estou te aconselhando à inércia? Eu me refugiei e fechei as portas para poder ser útil a mais gente. Nunca passo um só dia no ócio: dedico parte da noite aos estudos. Não me abandono ao sono, mas sucumbo, e continuo no trabalho com olhos caídos e cansados pela vigília.

Eu me afastei não apenas dos homens, mas também das coisas, e em primeiro lugar das minhas: ajo no interesse da posteridade. Escrevo para transmitir advertências salutares, por exemplo, receitas de medicamentos úteis, que experimentei como eficazes em minhas próprias feridas, as quais, se não se curaram completamente, ao menos não se alastraram mais.

Mostro aos demais o caminho certo, que conheci tarde e cansado de tanto vaguear. Clamo que evitem tudo o que agrada à plebe, que vem do acaso; que permaneçam desconfiados e temerosos diante de todo bem fortuito. Tanto as feras quanto os peixes deixam-se apanhar por alguma esperança tola. Pensas que essas coisas são presentes do destino? São ciladas. Qualquer um que queira ter uma vida segura deve evitar o mais possível essas armadilhas que nos traem e nos tornam infelizes. Pensando tê-las, somos fisgados por elas. Esse curso conduz ao precipício; e o resultado dessa vida que quer se sobressair é cair. E, depois, não se pode resistir: quando a felicidade começa a nos desviar do bem, derruba os bons, um por um, ou todos de uma vez; a sorte não causa ruína a ninguém, mas faz cair e despedaça.

Segue, pois, esta sã e salutar forma de vida: concede ao corpo apenas o que for suficiente para um bom estado de saúde. É necessário tratá-lo com severidade para que não desobedeça à mente: a comida deve acalmar a fome, o beber, a sede, as roupas devem proteger do frio, a casa, ser abrigo contra o mau tempo. Não importa se foi construída com taipa ou com mármore importado: saiba que um teto de palha abriga o homem tão bem quanto o de ouro. Despreza tudo o que um trabalho supérfluo estabelece como enfeite e requinte; pensa que nada é extraordinário a não ser a alma e que, para uma alma grande, nada é grande.

Digo estas coisas a mim mesmo, digo-as aos pósteros; e não te pareço mais útil do que se me apresentasse como advogado, ou para selar os testamentos, ou pusesse minhas mãos e voz a serviço de algum candidato ao senado? Acredita-me, quem menos parece agir faz coisas maiores, pois trata simultaneamente das coisas humanas e divinas.

Mas já é tempo de concluir esta carta e de dar a minha contribuição como disse no início. Não o farei com o que é meu, uso mais uma vez o sábio Epicuro, de quem, hoje, li estas palavras: "Consagra-te à filosofia se desejas ser verdadeiramente livre". Não espera o dia seguinte para se modificar quem a ela se submete e é fiel, pois, de fato, esse mesmo servir à filosofia é a liberdade.

Provavelmente me perguntarás por que eu cito tantas belas frases de Epicuro, ao invés daquelas dos estoicos: mas por que pensas que são de Epicuro e não do patrimônio comum? Quantos poetas exprimem conceitos já formulados ou que deveriam ser formulados pelos filósofos! Não mencionarei os trágicos nem os nossos dramas, que têm uma certa gravidade e estão entre a tragédia e a comédia. Quantos versos eloquentíssimos são ouvidos entre os comediantes! Quantas frases de Publílio Siro deveriam ser recitadas não pelos atores cômicos, e sim pelos trágicos! Citarei um único verso seu, que pertence à filosofia e a esta parte do argumento que estamos tratando, que nega que as coisas fortuitas sejam de fato nossas: "É de outro tudo o que adquiri".

Recordo que também tu expressaste o mesmo conceito melhor e com mais concisão: "Não é teu isto que a sorte fez teu". Mas quero citar esta tua outra máxima ainda melhor: "Um bem que pode ser dado também pode ser tomado".

Isso não te dou como pagamento: devolvo-te um bem que já era teu. Passa bem!

XII
Da velhice

Sêneca saúda o amigo Lucílio

Por toda parte, vejo sinais da minha velhice. Fui à minha casa de campo e me lamentei das despesas extraordinárias do edifício já em ruínas. O zelador disse-me que não era culpa de sua negligência, pois ele fez tudo o que era possível, mas a propriedade é velha. Esta vila foi construída por mim: qual será o meu futuro se tão podres estão as pedras do meu tempo?

Irritado com ele, aproveito o primeiro pretexto para descarregar a minha raiva: "É evidente", digo, "que estes plátanos estão descuidados: não têm folhas, os ramos estão secos e cheios de nós, quão tristes e áridos os troncos! Isso não aconteceria se alguém cavasse em torno, se lhe regasse". Ele jura pelo meu gênio* que faz todo o necessário, que não deixa de cuidá-los, mas são árvores já muito velhas. Que isto fique entre nós: eu as plantara, eu vira suas primeiras folhas.

Olho para a porta e pergunto: "Quem é este decrépito dado ao ócio? Por que está na porta? Onde o encontraste? Para que recolher um morto que não é nosso?" E o homem diz a ele: "Não me reconheces? Sou o Felício, aquele que presenteavas sempre com estatuetas de argila; sou filho do zelador Filósito, eu era o teu preferido". Eu afirmei: "Este homem está delirando! O

---

* *per genium meum*: algo como o anjo da guarda. Na religião de Roma, o *genius* era uma das divindades domésticas, tal como o deus *Lar* e os *Penates*, e estava diretamente ligado a um homem, ou seja, cada homem tinha o seu *genius*. Do mesmo modo, cada mulher tinha a sua *Juno*, que, de certo modo, era a versão feminina para o *genius*. (N.T.)

meu preferido tornou-se criança novamente? Mas, sim, pode ser, pois vejo que os dentes estão caindo."

Devo isto à visita a minha vila: onde quer que eu fosse, parecia-me evidente a minha velhice. Abarquemos e amemos a velhice: é cheia de prazeres, se sabemos fazer uso dela. Agradabilíssimos são os frutos de fim de estação; a infância é mais bela quando está por terminar; o último gole de vinho é o mais agradável aos que gostam de beber, aquele que entorpece, que dá à embriaguez o impulso final.

De cada prazer, o melhor é o fim. É doce a idade avançada, mas não ainda sob a decrepitude, e também eu penso que o período extremo da vida tem os seus prazeres ou, ao menos, no lugar dos prazeres, não sentir mais necessidade deles. Como é doce ter se cansado e abandonado os desejos!

"É triste, porém, ter a morte diante dos olhos", dizes. Em primeiro lugar, tanto os velhos a têm diante dos olhos quanto os jovens. Não somos chamados de acordo com a idade e, além disso, ninguém é tão velho que não possa esperar mais um único outro dia. Um único dia é o tamanho da vida. A existência inteira é feita de tantas partes como círculos, em que os grandes contêm os pequenos e há um que os abraça e encerra a todos, que vai do nascimento à morte. Há um círculo que separa os anos da adolescência, outro que tem dentro de si toda a infância; depois chega o ano que reúne em si todos os instantes, cuja multiplicação forma a completude da vida. Um círculo mais estreito contém o mês, uma curva mais reduzida ainda encerra o dia, que também vai de um início a um fim, da aurora ao poente.

Por isso Heráclito, o qual por sua linguagem foi chamado de "obscuro", disse: "Um dia é igual a todos os outros".* Essa frase é interpretada de modos diferentes. De acordo com alguns, é igual em número de horas, e isto é verdade: se o dia é de vinte e quatro horas, todos os dias devem ser iguais entre si, porque as horas perdidas do dia são ganhas à noite. De acordo com outros, um dia é igual a todos porque se assemelham; também em um só dia se pode encontrar, de fato, um espaço de tempo muito grande, luz e noite se tornam iguais nas mudanças do céu, onde a noite é ora mais breve, ora mais longa. Por isso, cada dia deve ser organizado como se fosse o último e concluísse a nossa vida.

Pacúvio**, que se instalou na Síria com todos os poderes, com vinho e banquetes fúnebres, celebrava suas próprias exéquias (funerais), era levado da mesa à cama entre os aplausos dos seus convidados que cantavam uma música.*** Nenhum dia deixava de realizar esse ritual. Aquilo que Pacúvio fazia como espetáculo nós devemos fazer imbuídos de honestidade. Vamos para a cama dormir e alegres digamos: "Vivi e percorri o curso que a sorte me destinou!".**** Se um deus nos conceder um amanhã, aceitemos com alegria. É verdadeiramente feliz e dono de si o que espera o amanhã sem preocupação; aquele que diz "vivi" recebe mais um dia como lucro.

Mas já devo concluir a carta. "Assim", dirás, "vem a mim sem nenhum presente?" Não tenhas medo: leva algo contigo. Por que digo *algo*? Muito! O que seria

---

* Cf. Heráclito, *Fragmentos*, 106. (N.T.)
** Pacúvio foi o legado que governou a Síria no lugar de Élio Lânia. Este foi nomeado por Tibério, mas não pôde deixar o Império na ocasião (Cf. Tácito, Anais, VI, 27; I, 80). (N.T.)
*** Viveu, viveu! (N.T.)
**** Virgílio, *Eneida*, IV, 653. (N.T.)

mais importante que a palavra que recomendo que te entregue? "Mal é viver na necessidade, mas não há nenhuma necessidade de viver sob a necessidade"*. Por que não? Por toda parte se abrem caminhos breves e fáceis para a liberdade. Agradeçamos aos deuses porque ninguém pode ser mantido na vida: é possível se libertar das próprias necessidades.

"De Epicuro", dizes, "é essa afirmação. O que tem uma outra escola a ver com a nossa?" Tudo o que é verdadeiro também é meu. Continuarei a te fazer ingerir Epicuro, para que os que juram sobre palavras de outro e avaliam não o que é dito, mas quem o diz, saibam que as coisas melhores fazem parte do patrimônio comum. Passa bem!

---

* Epicuro, *Fragmentos*, 487. (N.T.)

XXII
Da futilidade das meias-medidas

Sêneca saúda o amigo Lucílio

Já compreenderás que deves deixar essas ocupações belas e nocivas, mas questionas como podes conseguir isso. Certas coisas só se mostram para quem está presente; o médico não pode decidir à distância a hora da refeição ou do banho: deve verificar o pulso, estar presente. Diz um velho provérbio que o gladiador se decide na arena: algum vulto do adversário, alguns movimentos das mãos, ou a própria inclinação do corpo, em que ele mantém o olhar fixo.

Como costuma acontecer, pode-se formular sobre o que convém no modo de agir, em linhas gerais, por meio de alguém ou por escrito; tais conselhos não são apenas para os ausentes, mas também são dados aos pósteros; porém, quando deve ser feito e de que modo, ninguém pode aconselhar à distância: deve-se deliberar no momento da ação.

Não basta estar presente, mas permanecer vigilante e observar a ocasião propícia; deves procurar encontrá-la e, se a vires, deves prendê-la e, com todo ímpeto, todas as forças, faça isso para te libertares desses deveres. E esteja atento à minha sentença: penso que ou deves sair desse tipo de vida, ou sair da vida. Mas penso também que não deves fazê-lo de modo brusco: desata mais que rompe aqueles nós nos quais te encontras enredado. Se não existir outro modo de fazê-lo, simplesmente os rompa. Ninguém é tão tímido que prefira ficar sempre pendente a cair de uma vez por todas.

Entretanto, o principal é que nada te impeça; já bastam os deveres que abraçaste ou, como queres fazer crer, os que te comprometeram. Não deves abraçar outros, ou então não poderás mais te desculpar por eles. Estas coisas que se costuma dizer são falsas: "Eu não podia agir de outro modo. O que aconteceria se não o fizesse? Era necessário". A ninguém é necessário seguir o curso da felicidade: já é alguma coisa não a contrariarmos, nos opor ou resistir ao sermos levados pela sorte.

Não me leve a mal se não te aconselho sozinho, mas recorro também a outros certamente mais sábios do que eu, aos quais, seguidamente, peço auxílio quando devo tomar alguma decisão. Acerca disso, leia a carta que Epicuro escreveu a Idomeneo, na qual o aconselha a fugir o mais rápido possível, antes que uma força maior intervenha e o impeça de se retirar.

Também afirma que não devemos agir a não ser quando se poderia fazê-lo de modo adequado e no momento oportuno; porém, quando se apresenta uma ocasião há muito tempo esperada, é necessário aproveitá-la logo. Ele proíbe que durma quem pensa em fugir, e podemos esperar salvação nas situações mais adversas se não nos precipitarmos antes do tempo e não nos retirarmos no momento de agir.

Creio que queres também conhecer a opinião dos estoicos. Ninguém pode acusá-los de temeridade, pois são mais cautelosos que corajosos. Esperas, talvez, que eles te digam: "É torpe ceder ao peso, luta com os deveres que te dizem respeito. Não é um homem forte e valoroso aquele que foge ao trabalho, nem lhe cresce o ânimo diante da dificuldade". Sim, te dirão essas coisas, que vale a pena perseverar se não somos obrigados a fazer ou suportar o que seja indigno a um homem de bem. Tal homem não se deterá a um trabalho sórdido e ultrajante, não executará o trabalho pelo trabalho. Nem agirá como pensas, ou seja, sempre suportar, impelido pela ambição, as coisas que esta acarreta. Quando vir que as coisas nas quais se encontra são graves, incertas e ambíguas, retirar-se-á, retrocederá gradualmente para estar seguro.

É fácil, pois, meu Lucílio, abandonar as ocupações quando não se dá valor às recompensas. Os argumentos que nos envolvem e retêm são estes: "E agora? Abandonarei tão grandes esperanças? Abandonarei a colheita? Ninguém mais ao meu lado, desacompanhada minha liteira, vazio o meu átrio?" A essas coisas os homens renunciam de má vontade, pois amam as misérias que desprezam.

Assim, queixam-se da ambição como de suas amantes, isto é, se olhares o seu verdadeiro sentimento, verás que não as odeiam, apenas brigam com elas. Examina estes que deploram desejar e falam em fugir daquelas coisas de que não podem ser privados; verás que eles permanecem voluntariamente naquilo que dizem suportar com dor e miséria.

É assim, Lucílio: poucos são presos pela servidão, muitos se deixam prender por ela. Contudo, se tens a intenção de deixá-la, se desejas de boa-fé a liberdade, e para isso esperas um único chamado, para viver sem uma perpétua preocupação, poderás contar com toda a aprovação dos estoicos? Todos, Zenão e Crisipo, te exortam a uma vida moderada e honesta.

Todavia, se hesitares, para calcular o quanto podes manter contigo e quão grande fortuna poderás usufruir no ócio, nunca encontrarás saída. O náufrago não pode nadar com bagagem. Emerge a uma vida melhor com a ajuda dos deuses, mas não com aquelas ajudas com as quais, com rosto bom e benigno, eles distribuem males magníficos, com esta única desculpa: que estas coisas que angustiam, que atormentam, são dadas aos que as escolhem.

Já havia selado a carta, mas devo reabri-la para que chegue a ti com um pequeno presente e leve contigo uma bela máxima; vem-me à mente uma, não apenas a mais verdadeira ou a mais eloquente. "De quem é?", perguntarás. De Epicuro. Mais uma vez faço minhas as coisas de outros: "Ninguém sai da vida tal como entrou". Pensa em quem quiseres: jovens, velhos, homens maduros. Tu os encontrarás com igual medo da morte, com igual ignorância da vida. Ninguém concluiu nada; sempre remetemos tudo para o amanhã. O que mais me agrada nessa frase é que reprova aos velhos por serem infantis. Epicuro diz: "Ninguém morre diferente de como nasceu". Isto é falso: morremos piores do que nascemos. E a culpa é nossa, não da natureza. Esta tem o direito de se lamentar conosco: "E agora?", diz, "eu gerei a todos sem desejos, sem medo, sem superstições, sem perfídia, sem outros males: saiam da vida como entraram".

Quem morre tão sereno quanto nasceu é como se tivesse conquistado a sabedoria; mas ao contrário, quando o perigo nos é próximo, temos medo, a coragem nos deixa, empalidecemos, derramamos lágrimas inúteis. O que é mais vergonhoso do que ficar perturbado diante do umbral da serenidade?

O motivo é que somos privados de todo bem e sofremos por ter desperdiçado a vida. Não sobrou nada;

ela passou, foi jogada fora. Ninguém se preocupa em viver bem, mas em viver muito; porém, todos podem agir de modo a viver bem mesmo que não saiba por quanto tempo. Passa bem!

XXVIII
Da viagem

Sêneca saúda o amigo Lucílio

Pensas que só a ti isso aconteceu e te admiras como se fosse uma coisa nova o fato de em tão longa peregrinação e em tanta variedade de lugares não teres tirado a tristeza e a gravidade da mente? Deves mudar o ânimo, não o céu. Mesmo que atravesses o vasto mar, mesmo que, como diz o nosso Virgílio, "se percam a terra e as cidades", os vícios te seguem e te perseguem aonde quer que vás.

Sendo perguntado sobre isso, Sócrates disse: "Por que te admiras de que em nada as viagens te beneficiem quando te levas contigo? Vai atrás de ti a mesma causa que te faz fugir." A quem pode ajudar a novidade das terras? A quem o conhecimento das cidades ou dos lugares? Toda essa agitação é em vão. Perguntas por que essa fuga não te ajuda; ora, tu foges de ti mesmo. É o peso da alma que deves deixar: antes disso, nenhum lugar te agradará.

Julgas, agora, que a tua condição seja tal qual aquela que o nosso Virgílio apresenta naquela sacerdotisa exaltada e muito instigada e que tem em si um espírito que não é o seu: "A sacerdotisa se agita para que possa expulsar do seu peito um grande deus".* Vai daqui para lá a fim de sacudir o peso que te oprime e que volta mais grave devido à tua própria agitação; assim como em um navio a carga imóvel pesa menos e a que está disposta de

---

* Virgílio, *Eneida*, VI, 78. (N.T.)

modo desigual se move de um lado para outro, fazendo afundar o flanco que mais pesa. Qualquer coisa que faças a fazes contra ti e no mesmo movimento te prejudicas, pois tu carregas um homem doente.

No entanto, quando te livrares desse mal, toda mudança de lugar se tornará alegre. Mesmo se fores lançado em terras distantes, ou fores transferido para qualquer país bárbaro, aquela distância, qualquer que seja, te parecerá acolhedora. Mais importante não é o lugar, mas o estado de ânimo, pois o ânimo não se torna escravo de nenhum lugar. Vive com essa convicção: "Não nasci para um único lugar, a minha pátria é este mundo inteiro".

Se isso fosse claro para ti, não te admirarias que não te ajudassem as diversas regiões para as quais constantemente migras, cansado daquelas onde vivias antes; as primeiras te teriam agradado se as tivesses considerado como se fossem tuas. Agora não peregrinas, mas erras e te deixas levar de um lugar para outro, de modo que o que buscas, isto é, viver bem, encontra-se em todos os lugares.

Pode existir um lugar tão conturbado quanto o fórum? Também aqui se pode viver tranquilamente, se for necessário. Mas se é possível dispor livremente de nós mesmos, fugiria para longe da proximidade do fórum, pois como os lugares insalubres minam uma saúde muito firme, assim, também, lugares perigosos atacam os espíritos ainda não perfeitos e convalescentes.

Discordo daqueles que se jogam no meio das ondas e que, atraídos por uma vida tumultuosa, lutam, cotidianamente, com grande ânimo, contra as dificuldades das coisas. O sábio o suporta, não o escolhe, prefere a paz à luta; não é muito útil abandonar-se aos próprios vícios se é preciso lutar contra os alheios.

"Trinta tiranos", fala, "rodearam Sócrates, mas não puderam quebrantar seu espírito." Que importa quantos são os senhores? A servidão é uma só; se alguém a despreza, por maior que seja a dominação, é livre.

É tempo de terminar, mas não sem antes pagar os pedágios. "Ter consciência dos próprios pecados é o início da salvação." Esta frase, dita por Epicuro, parece-me ser das mais sábias, pois quem ignora pecar não quer ser corrigido; é necessário que reconheças a culpa antes de te emendares.

Alguns se vangloriam dos seus vícios; e tu pensas que busca remédio quem enumera os seus vícios como se fossem virtudes? Por isso, tanto quanto possas, repreende-te a ti mesmo, faze um exame de consciência; assume primeiro o papel do acusador, depois o de juiz e, por último, o de intercessor. Em algumas ocasiões, sê duro contigo mesmo. Passa bem!

XXXI
Do canto das sereias

Sêneca saúda o amigo Lucílio

Reconheço, agora, meu Lucílio: começa a mostrar-te como prometera. Segue este impulso do espírito que te conduz às melhores coisas já tendo passado pelos bens vulgares. Não desejo que tu te tornes maior ou melhor do que tens procurado ser. Tens bons e sólidos fundamentos: faze tudo o que desejas e põe em ordem os teus projetos.

Alcançarás a suma sabedoria se fechares os ouvidos, mas fechá-los com um pouco de cera não é suficiente. É necessário que seja um tampo mais eficaz do que aquele que, segundo contam, foi usado por Ulisses e seus companheiros. A voz que ele temia era sedutora, mas não inteiramente. Porém, essa que devemos temer agora não ressoa de um único lugar, mas de todo canto da terra. Não há um lugar único suspeito por seus insidiosos prazeres, mas sim todas as cidades. Torna-te surdo inclusive com as pessoas que te amam muito, pois, mesmo com as melhores intenções, te desejam o mal. E, se queres ser feliz, pede aos deuses que nada do que te desejam aconteça.

Não são verdadeiros bens aquelas coisas das quais te querem ver acumulado: o bem é um só, causa e fundamento da felicidade, ou seja, a confiança em si mesmo. Mas isso não podemos obter se não somos indiferentes ao cansaço e se não o colocamos entre as coisas que não são nem boas nem más. Não é possível que uma mesma coisa seja um pouco má e um pouco boa; algumas vezes leve e suportável e, outras, terrível.

O trabalho não é um bem; mas então o que é um bem? O desprezo pelo cansaço. Por isso, em vão reprovei aqueles que se mostram atarefados por nada e, ao contrário, aprovo os que se esforçam por serem honestos, principalmente quando se esforçam sem se deixarem vencer ou descansar. Eu exclamarei dirigindo-me a eles: "Tenham ânimo, ergam-se, respirem fundo e superem este peso, se puderem, de uma única vez".

O trabalho nutre os espíritos generosos. ...Não escolhas, de acordo com os desejos dos teus pais o que desejas para ti; é reprovável para um homem importunar os deuses com muitas súplicas. O que é preciso pedir? Faze feliz a ti mesmo e o farás se compreenderes que os bens são misturados às virtudes e os males aos vícios. Do mesmo modo, nada resplandece se não é impregnado de luz e nada é escuro se não é impregnado de trevas; nada é quente sem a ação do fogo e nada é frio sem o ar. Assim, as coisas honestas e torpes são feitas a partir da associação às virtudes ou aos vícios.

O que é, pois, bom? A ciência das coisas. O que é mau? A ignorância acerca das coisas. Aquele que é prudente e realizador rejeita ou escolhe todas as coisas no tempo adequado, mas sem temer o que rejeita nem admirar o que escolhe, se seu espírito é grande e invencível. Proíbo que te submetas ou te deprimas. Não rejeitar o trabalho ainda é pouco; deves buscá-lo.

"Pois como?", perguntas, "o trabalho frívolo e supérfluo que é motivado por razões mesquinhas não é mau?" Não é mais do que aquele em que se empregam belas ações, visto que é sempre a mesma tenacidade do espírito que instiga às coisas duras e ásperas e diz: "Por que tu paras? Não é viril temer o suor".

Para que a virtude seja perfeita, é necessário que a tudo isso se acrescente igualdade e firmeza de vida, sempre coerente contigo mesmo, o que não pode ocorrer a não ser que existam entendimento e arte pelos quais se conhece as coisas humanas e divinas. Este é o bem maior e, se o alcanças, começas a ser amigo dos deuses e não mais um suplicante deles.

"De que modo se alcança isso?", perguntas. Não atravessando os Alpes ou os Montes Ilíricos, a enfrentar Sirtes, Cilla ou Caribde, que percorreste para conseguir o governo de uma pequena província. O itinerário inteiro é seguro e agradável para aquilo que a natureza te preparou. Ela te deu as qualidades que, se não as abandonares, te elevarão à altura de um deus. O dinheiro não te fará como um deus, pois um deus nada tem. Nem a toga pretexta ele usa. Nem a fama, a ostentação ou mesmo a notoriedade do teu nome entre os povos o fará, pois ninguém conhece um deus; muitos impunemente o julgam mal. E nem mesmo uma multidão de servos que carreguem a tua liteira por itinerários urbanos e mais longínquos te auxiliará, pois é aquele deus, mais poderoso, quem conduz todas as coisas. Do mesmo modo, nem a beleza nem a força podem te fazer feliz, nada resiste ao tempo.

Precisas encontrar algo que não se desvalorize com o passar dos dias, que não tenha obstáculos. O que é isso? O espírito, mas que seja reto, bom, nobre. E de que outro modo poderás chamá-lo que de um deus que habita o corpo humano? Esse espírito pode ser encontrado tanto num cavaleiro romano quanto num liberto e, ainda, num escravo. O que é, pois, um cavaleiro romano, um liberto, um escravo? São apenas nomes que se originam da ambição ou da injustiça. É possível, do nada, subir ao céu. Ergue-te agora "e te tornes digno de um deus". Mas não o farás através do ouro ou da prata, pois a partir desses metais não se pode exprimir uma imagem semelhante a um deus; lembra que, quando eles nos eram propícios, eram feitos de barro. Passa bem!

XXXII
Do progresso

Sêneca saúda o amigo Lucílio

Pergunto por ti e para todos os que vêm desta região; procuro saber o que andas fazendo, onde e com quem costumas andar. Não podes me iludir: estou contigo. Assim, vive como se estivesses convicto de que recebo notícias tuas e de que posso ver o que fazes. Desejas saber o que mais me deleita do que eu ouço sobre ti? Pois não ouço nada, já que a maior parte dos que interrogo nada sabe do que tu andas fazendo.

Isso é salutar, não conversar com os que são diferentes de nós e que têm aspirações outras que não as nossas. Porém, tenho confiança de que tu não podes ser deturpado e de que te manterás firme no teu propósito, mesmo se uma multidão de tentações venha a te cercar. O que há, portanto? Não tenho medo que te mudem, temo apenas que te atrapalhem. E muito prejudica quem nos retarda, porque, em tão breve vida, nós a tornamos ainda mais breve com a nossa inconstância; recomeçando-a constantemente, ora de um jeito, ora de outro, é que a reduzimos em partículas e a despedaçamos.

Apressa-te, pois, querido Lucílio, e pensa quão mais veloz tu serias se fosses perseguido por um inimigo, se suspeitasses que um cavaleiro viesse sobre os fugitivos. Acontece realmente isto: estás sendo perseguido, aperta o passo e foge, te esconde em lugar seguro. Considera suprema beleza consumar a vida antes da morte e espera serenamente a parte que resta do teu tempo, não pedindo nada para ti na posse de uma vida feliz, que não se torna mais feliz se for mais longa.

Ah! Quando chegará o dia em que te darás conta de que o tempo não te pertence, em que serás tranquilo e sereno, despreocupado com o amanhã e satisfeito contigo mesmo! Queres saber o que faz os homens desejarem tanto o futuro? Nenhum é dono de si. Os teus pais desejaram para ti outras coisas, mas eu, contra todos, desejo que tu desprezes todos esses bens que eles te desejaram em abundância. Os desejos deles espoliaram a muitos outros para te enriquecer; tudo isso que te legaram tiveram de tomar de alguém.

Eu escolho para ti o domínio sobre ti mesmo, e que a tua mente, agitada por vagos pensamentos, se afirme e se torne convicta, de modo que encontre prazer em si mesma e conheça os bens verdadeiros, aqueles que passam a nos pertencer assim que compreendemos quais são, não sendo necessário aumentar o número de anos. Está acima das necessidades aquele que é completamente emancipado, é livre quem viveu uma vida completa. Passa bem!

XLVII
Do senhor e do escravo

Sêneca saúda o amigo Lucílio

Com alegria, tive notícias tuas por aqueles que vêm de tua casa, informando que vives de forma familiar com os teus servos, atitude própria e honrada de uma pessoa esclarecida como tu. "São escravos." Não, são homens. "São escravos." Não, companheiros. "São escravos." Não, amigos humildes. "São escravos." Sim, como nós o somos, se pensares que a sorte tem igual poder sobre nós e eles.

Por isso, acho cômico esses grandes homens que pensam ser humilhante jantar com o seu escravo. Por quê? Apenas em virtude de um costume arrogante, que impõe ficar o patrão, enquanto come, rodeado por uma multidão de servos em pé? E ele que come além da capacidade do seu estômago e, com grande avidez, distende o estômago já satisfeito, que já não sabe mais as suas funções, ingerindo à força e com grande esforço o excesso de comida. Por sua vez, aos escravos infelizes não é permitido nem mesmo mover a boca para falar. Todo comentário é repreendido com a vara. Não escapam nem mesmo rumores casuais, tosse, pigarro, espirro. Toda interrupção do silêncio é paga com severo castigo. Os escravos devem passar a noite toda em pé, sem comer e mudos.

O resultado disso é que os escravos, não podendo falar na presença do senhor, falam sobre ele. Outrora, eles falavam na frente do senhor e com ele, não estavam amordaçados e, sendo necessário, eram os primeiros a oferecer a cabeça por ele e a desviar dele qualquer perigo que o ameaçasse. Falavam durante o jantar, mas se calavam sob tortura. De fato, me vem à mente, com muita frequência, aquele provérbio, fruto da máxima arrogância: "tantos escravos, tantos inimigos". Eles não são inimigos, nós é que os fazemos assim. Deixemos, por ora, os tratamentos cruéis e desumanos, como se não fossem humanos, mas animais. Quando nos sentamos para jantar, um escravo trata de nossos pés, um segundo limpa, sob o divã, o vômito dos convidados embriagados. Outro, ainda, corta as aves raras, com a hábil mão, em pedaços de peito ou perna. Coitado, vive apenas para trinchar corretamente aves gordas. No entanto, não é mais digno de pena quem faz tudo isso por prazer do que aquele que o faz por obrigação?

E aquele que serve o vinho, vestido de mulher, procurando esconder a sua idade: é uma criança, ou melhor, forçam a que assim continue. Apesar de já possuir postura de um soldado, tem todos os pelos raspados ou extirpados e o corpo coberto de óleo. Vela a noite inteira, dividindo-a entre a embriaguez e a libido do senhor. É um homem no quarto de dormir, um menino durante as festas.

Existe ainda aquele outro, infeliz, cujo dever é observar os convidados, ficar atento aos bajuladores e aos glutões, ou seja, os que adulam e comem muito, pois serão esses os que devem ser chamados no dia seguinte.

Somem-se a esses os chefes da cozinha, aqueles que se ocupam com as provisões, que conhecem exatamente o gosto do senhor e sabem de qual armazém lhe agradam os sabores, de qual lhe dá prazer o aspecto, qual prato insólito pode levá-lo à náusea, qual lhe causa repulsa quando está satisfeito, o que deseja comer naquele dia. Porém, o senhor não suporta comer com eles e considera uma diminuição da sua dignidade sentar-se à mesma mesa que os criados. Pelos deuses!

Quantos senhores não há que estão criando outros senhores para si mesmos! Vi, diante da porta de Calisto, o seu ex-senhor, despedido enquanto outros eram admitidos; aquele mesmo que um dia havia pregado um cartaz de "À Venda" no pescoço de Calisto hoje era rejeitado pelo seu antigo escravo, julgando-o não apto a entrar na casa. O senhor vendeu Calisto, mas como Calisto retribuiu ao seu senhor!

Considera que este, que tu chamas de teu escravo, nasceu da mesma semente que tu, vive sob o mesmo céu, respira, morrerá como tu! Tu podes vê-lo livre, como ele pode ver-te escravo. Com a derrota de Varro, a sorte degradou socialmente muitos homens de nobilíssima origem, que, através do serviço militar, aspiravam ao posto de senadores, mas foram traídos pela sorte. De alguém fez pastor, de outro guardião de uma casa. Se ousares, desprezas, então, aquele que agora se encontra em um estado para o qual podes ser reduzido no mesmo momento em que o desprezas.

Não quero me prender a um argumento tão cansativo e discutir sobre o tratamento dos escravos: com eles somos excessivamente soberbos, cruéis e insolentes. Este é o núcleo dos meus ensinamentos: age com o teu inferior como gostarias que o teu superior agisse contigo.*
Todas as vezes em que te vier à mente quanto poder tens sobre o teu servo, pensa que o teu senhor tem sobre ti o mesmo poder.

---

* Formulação análoga à da Regra de Ouro, expressa como regra moral no Evangelho: "Não faça ao outro o que não gostarias que fosse feito a ti". (N.T.)

"Mas eu", respondes, "não tenho senhor". Por enquanto, estás bem; talvez, porém, o venhas a ter. Não sabes em que idade Hécuba, Creso, a mãe de Dário, Platão e Diógenes começaram sua servidão?

Trata de forma clemente e afável o teu servo; fala com ele, pede-lhe conselho, come com ele. Nesse ponto, todos os homens refinados me gritarão: "Não existe nada de mais humilhante, nada mais vergonhoso". Eu, porém, poderei surpreender a eles próprios a beijar a mão de outros servos. Leva em conta como os nossos antepassados desejaram eliminar todo motivo de ódio contra os senhores e de ultraje contra os escravos. Chamavam de pai de família o senhor e de familiares os escravos. Estabeleceram um dia festivo, não para que os senhores comessem com os escravos apenas nessa ocasião, mas para que, em tal ocasião, concedessem a eles ocupar lugares de responsabilidade no âmbito familiar, administrar a justiça e considerar a casa um pequeno Estado.

"E então? Convidarei à minha mesa todos os escravos?" Sim, porém não mais que todos os homens livres. Tu te enganas se pensas que rejeitarei algum porque realiza um trabalho muito humilde, por exemplo, o limpador de pés, ou o que exerce funções mais grosseiras. Não os julgarei pela sua ocupação, mas pela sua conduta; pela própria conduta cada um é responsável, enquanto a função, ao contrário, vai de acordo com a situação. Convida alguns porque merecem, outros para que venham a merecer e outros para que possam aprender o serviço. Se há neles qualquer aspecto servil, devido ao contato com gente humilde, o convívio com homens mais nobres o eliminará.

Não deves, meu Lucílio, procurar amigos apenas no fórum e no senado. Se prestares a atenção, tu os encontrarás também em casa. Frequentemente, um bom material se torna inútil sem um hábil artífice: procura fazer essa experiência. Se alguém, ao comprar um cavalo, não o examina, mas olha a sela e os arreios, é estúpido; assim é ainda mais estúpido quem julga um homem pela vestimenta e pela condição social, que não passa de uma cobertura externa.

"É um escravo." Mas talvez seja livre na alma. "É um escravo." E isso te prejudicará? Mostra-me quem não o seja! Há os escravos da luxúria, da avidez, da ambição: todos somos escravos da esperança e do medo. Tenho condições de te mostrar um cônsul servo de uma criada, um rico senhor submisso a uma escrava, jovens de nobre origem sujeitos a dançarinos de pantomima. Nenhuma escravidão é mais vergonhosa do que a voluntária.

Por isso, essas desculpas não te devem inibir de ser cordial com os teus servos sem sentir-te soberbamente superior, esquecendo os afetados; desperta nos teus mais o respeito do que o temor.

Alguém agora dirá que eu incito os escravos à revolta e que quero tirar a autoridade dos senhores, porque eu disse: "Respeitam o senhor mais do que o temem". "Como assim?", perguntam. "Respeitam-no como os clientes, como as pessoas que fazem a visita de cortesia?" Quem diz isso esquece que não é pouco para os senhores aquela reverência que basta a um deus. Se alguém é respeitado, também é amado: o amor não pode misturar-se ao temor. Assim, fazes bem em não querer que os teus servos te temam e em corrigi-los apenas com palavras. É um animal aquele que pune com o relho.

Nem tudo o que nos golpeia nos causa danos, mas o hábito ao prazer induz à ira; aquilo que não é como desejamos provoca a nossa cólera. Infundimos em nós mesmos a altivez dos reis. Eles também esquecem a própria força e a debilidade dos outros, ficam rubros de raiva e tornam-se cruéis como se tivessem sido ofendidos, quando, em verdade, estão acima de qualquer injúria devido à sua posição. Eles o sabem bem, mas se lamentam, procuram a ocasião para fazer o mal. Com a desculpa de terem sido ultrajados, justificam os ultrajes cometidos.

Não quero tomar mais teu tempo: de fato, não precisas de exortação. Os bons costumes, entre outras coisas, têm como característica isto: agradam a si mesmos e permanecem. A malícia é inconstante, muda frequentemente, e não para o melhor, mas para outra coisa. Passa bem!

XLIX
Da brevidade da vida

Sêneca saúda o amigo Lucílio

Meu Lucílio, é de fato alguém indiferente e negligente quem traz à memória um amigo a partir da visão de algum lugar. Algumas vezes, lugares familiares evocam em nosso espírito a lembrança adormecida, permitem que a memória se apague, mas a despertam do torpor; assim se reanima a dor de quem sofre, mesmo que seja algo já amortecido pelo tempo, tal como a visão de um servo doméstico ou uma roupa ou a casa. Eis como a Campânia e, sobretudo, Nápoles, e a vista da tua Pompeia, de modo incrível, trouxeram até mim lembranças tuas: tu estás inteiro diante de meus olhos. É como se fosse o momento de nossa despedida. Vejo as tuas lágrimas, não podendo conter a tua emoção, que brotam quando procuras reprimi-las.

Parece que eu acabara de te perder há pouco tempo, mas o que é esse "há pouco tempo" se estou recordando? Há pouco tempo, eu era um menino sentado na escola do filósofo Sotione; há pouco tempo, comecei a discutir causas; há pouco tempo, resolvi não discuti-las mais; há pouco tempo, já não posso mais fazê-lo. Infinita é a velocidade do tempo, a qual parece maior quando olhamos para trás. Pois aos atentos ao presente engana, porque leve é a passagem de sua fuga precipitada.

Queres a causa disso? Todo o tempo transcorrido está no mesmo lugar; o vemos simultaneamente, está tudo junto. Todas as coisas caem no mesmo buraco.

E, além disso, não podem existir grandes intervalos em uma coisa que, na sua completude, é breve. O que vivemos é um instante, menos que um instante; porém, a natureza dividiu essa coisa mínima para dar aparência de duração a esse pequeno espaço de tempo. De uma parte, fez a infância, de outra, a meninice, depois a adolescência, o declínio da adolescência à velhice e, por fim, a própria velhice. Em algo tão estreito, quantos degraus há!

Há pouco tempo me despedi de ti; e, todavia, esse "há pouco tempo" é uma boa parte da nossa existência, cuja breve duração, pensemos, um dia terminará. Não me parece que no passado o tempo fosse tão veloz. Agora, a sua rapidez me parece incrível, seja porque percebo que o fim se aproxima, seja porque comecei a observar e fazer as contas das minhas perdas.

Por isso, mais me indigno com aqueles que desperdiçam com coisas supérfluas a maior parte desse tempo que já não é suficiente para as coisas necessárias, mesmo se for usado com o máximo cuidado. Cícero nega que, mesmo que lhe duplicassem a vida, teria tempo para ler todos os líricos. No mesmo lugar ponho os dialéticos, cuja ignorância é mais triste. Aqueles reconhecem sua frivolidade; estes pensam que fazem algo sério.

Não nego que se deva dar uma olhada nessas coisas, mas que se deve apenas dar uma olhada, e devendo ser saudadas do limiar, para não sermos enganados e para que não nos façam crer que nelas há grandes e secretos bens. Por que te atormentas e te cansas com essa questão que é mais inteligente desprezar que resolver? É próprio de quem está em segurança e viaja comodamente procurar minúcias. Porém, quando o inimigo está em nosso encalço, e o soldado recebeu a ordem de se mover, a necessidade se desfaz de todas as coisas inúteis.

Não tenho tempo para procurar palavras de duplo sentido e para provar com elas a minha perícia. "Observa como se juntam os povos, quais cidades fecham as portas afiando as armas." Devo escutar com grande coragem esse rumor de guerra que ressoa em torno de mim.

Com razão a todos pareceria louco se, enquanto mulheres e velhos juntam pedras para fortificar o muro, enquanto a juventude armada entre as portas da cidade espera ou reclama o sinal de partida, enquanto os dardos inimigos vibram contra as portas e o próprio solo treme devido a túneis e galerias subterrâneas, eu permanecesse ocioso e colocasse esse tipo de questiúnculas. "Tudo o que não perdeste tu tens; como não perdeste os cornos, logo, tu tens cornos" e outros delírios agudos, por exemplo.

Igualmente, vou te parecer demente se agora me ocupo dessas coisas: também agora estou sitiado. Então, o perigo me seria externo, um muro me separaria do inimigo. Ao contrário, os perigos mortais estão dentro de mim. Não tenho tempo para essas bobagens; tenho nas mãos um imenso negócio. O que devo fazer? A morte me segue, a vida foge.

Ensina-me algo contra esses males: faz com que eu não fuja da morte, que a vida não fuja de mim. Encoraja-me contra as dificuldades, sobre a equanimidade, acerca dos males inevitáveis; relaxa as angústias da minha idade. Ensina-me que o valor da vida não está na sua duração, mas no uso que dela pode ser feito; que pode acontecer, como acontece com frequência, que quem viveu muito, muitas vezes, viveu pouco. Dize-me, quando eu estiver por adormecer, "podes não acordar mais"; e, quando eu estiver acordado, "podes não dormir mais". Dize-me, quando estiver eu saindo, "podes não voltar"; e, quando eu estiver de volta, "pode ser que não saias mais".

Erras se pensas que apenas na navegação a vida se distancia pouco da morte: em todo lugar essa distância é tênue. A morte não se mostra em todos os lugares, mas em todos os lugares ela está próxima. Dissipa essas trevas e mais facilmente me ensinarás as coisas para as quais já estou preparado. A natureza nos criou dóceis e nos deu uma razão imperfeita, mas capaz de se aperfeiçoar.

Discute comigo sobre a justiça, sobre a piedade, sobre a sobriedade, sobre as duas formas de pudor, aquela que não viola o corpo alheio, bem como a que cuida de si mesmo. Se não me quiseres conduzir por desvios, chegarei mais facilmente à meta a que me dirijo, pois, como diz o famoso trágico: "O discurso da verdade é simples". Assim, não é preciso complicá-la, pois nada convém menos a um espírito que tem grandes aspirações que essa inferior astúcia. Passa bem!

LIV
Da asma e da morte

Sêneca saúda o amigo Lucílio

Meus males me haviam concedido uma longa trégua, porém, de repente, me atacaram. "De que gênero?", perguntas. Com razão me indagas, pois nenhum mal me é desconhecido. Mas a um único mal fui destinado, que não precisa ser chamado pelo nome grego "asma", já que se pode dizer, simplesmente, "suspiro". O seu ataque é breve e semelhante a uma tempestade; termina por volta de uma hora. Quem poderia suportar mais?

Todos os incômodos ou perigos do corpo passaram por mim, mas nenhum me parece mais penoso. Por que não? Qualquer outro mal significa apenas estar doente; este é expulsar a alma. Por isso, os médicos o chamam de "meditação sobre a morte": um dia o espírito faz aquilo que tanto desejou.

Pensas que sou hilário por te escrever essas coisas quando escapei da crise? Ridículo seria se me deleitasse com o fim dessa crise como se significasse a recuperação da saúde, tanto quanto aquele que, no tribunal, pensa ter vencido por ter conseguido uma trégua. Mas eu, na própria sufocação, não deixei de encontrar conforto em pensamentos alegres e fortes.

"O que é isto?", perguntava. "Por que tão frequentemente a morte me experimenta? Prossiga, pois eu também a tenho experimentado muito." "Quando?", perguntas. Desde antes de nascer. A morte é a não existência. O que quer que isso seja, depois de mim, será o mesmo que foi antes de mim. Se nisso existe algum tormento, é necessário que também houvesse antes que viéssemos à luz; porém, naquela ocasião não sentimos nenhum constrangimento.

Peço que me digas: tu julgarias muito estúpido quem pensasse estar em situação pior uma lanterna depois de apagada que antes de ser acesa? Nós também nos acendemos e nos extinguimos; no intervalo, padecemos alguma coisa; nos dois extremos ficamos impassíveis. Nisso, pois, meu Lucílio, se não me engano, erra-se quando se pensa que seguimos a morte; ao contrário, ela nos precedeu e seguirá. Qualquer coisa que tenha existido antes de nós é morte. Que importa, então, não começar a ser ou deixar de ser, se ambas as coisas têm o mesmo efeito, isto é, o não ser?

Com essas e outras exortações, em silêncio, pois eu não podia falar, não deixei de falar comigo mesmo; depois, paulatinamente, aquele *suspiro* que agora começava a diminuir fez intervalos maiores e acabou. Contudo, mesmo tendo cessado, a respiração não fluiu de modo natural, sinto que ela hesita e demora. Seja como for, só não quero esse sufoco na alma.

Recebe isto de mim: não tremerei no momento extremo, já estou preparado, não faço planos para um dia inteiro. Louva e imita aquele a quem não entristece morrer quando lhe agrada viver. Qual é então a virtude em sair quando se é expulso? Porém, nisso ainda há em mim virtude, pois sairei da vida como se fosse por minha vontade. Por isso, o sábio nunca é expulso, pois ser expulso é ser retirado de onde se está contra a vontade. O sábio não faz nada contra a sua própria vontade. Foge da necessidade, porque ela o obriga a fazer aquilo que ela quer. Passa bem!

LX
Das preces nocivas

Sêneca saúda o amigo Lucílio

Queixo-me, brigo, fico irritado. Ainda queres o que desejava a tua ama de leite, o preceptor, a tua mãe para ti? Não compreendeste ainda quanto de mal desejavam? Oh! Quão contrários nos são os desejos daqueles que nos são caros! E tanto mais funestos, maior êxito têm. Já não me admira se, desde a nossa primeira infância, nos têm ocorrido todos os males; crescemos entre as pragas de nossos pais. Escutem também os deuses a nossa própria voz.

Até quando pediremos algo aos deuses? Não podemos ainda manter a nós próprios? Até quando encheremos de sementeiras os campos ao redor das grandes cidades? Até quando o povo fará a colheita por nós? Até quando muitos navios, provenientes de vários mares, trarão provimentos para uma única mesa? O touro se sacia com o pasto terreno de pouquíssimas dimensões; uma única selva é o suficiente para muitos elefantes. O homem, no entanto, se alimenta de tudo o que vem da terra e do mar.

O quê, portanto? A natureza nos deu um corpo tão pequeno e um ventre tão insaciável, de tal modo que conseguimos vencer em avidez os maiores e mais vorazes animais? De modo algum. Quão pouco é o que é dado à natureza! Sacia-se com pouco. Não é a fome do ventre que nos custa muito, mas a ambição.

Não devemos contar entre os homens aqueles, como diz Salústio, que são "servos do ventre", e alguns deles não estão nem mesmo dentre os animais vivos, mas dos mortos. Vive quem é útil a muitos, vive quem é útil a si mesmo; aqueles que se escondem e se entorpecem assim estão em sua casa como numa sepultura. No mármore podes escrever o seu nome; no entanto, no limiar de suas casas, já anteciparam a sua morte. Passa bem!

LXI
Do encontrar a morte com alegria

Sêneca saúda o amigo Lucílio

Deixemos de desejar aquilo que desejávamos! Eu, certamente, agora que sou velho, me recuso a ter os mesmos desejos de quando eu era menino. Nisso se vão os meus dias e as minhas noites, esta é a minha ocupação, o meu pensamento, pôr fim a antigos males. Faço isso de modo que cada dia seja para mim a vida toda; e, pelos deuses, não me apego a ele como se fosse o último, mas o contemplo como se pudesse também ser o último.

Eu te escrevo esta carta com tal estado de ânimo como se a morte fosse me chamar enquanto a escrevo; estou preparado a sair da vida e, por isso, a desfrutar a vida porque em nada me preocupa a sua duração. Antes de me tornar velho, procurei viver bem; agora que sou velho, procuro morrer bem; contudo, morrer bem significa morrer livremente.

Vê que não faças nada contra a tua vontade. Aquilo que é necessário para quem o rejeita, não o é para quem o aceita voluntariamente. Assim, quem obedece com boa vontade às ordens evita a parte mais amarga da servidão, ou seja, fazer aquilo que não quer. Não é aquele que faz algo quando mandado, mas quem o faz contra a vontade. Conformemos, pois, nosso espírito para que desejemos qualquer coisa que nos seja exigida e, antes de tudo, pensemos sem tristeza acerca do nosso fim.

Devemos estar preparados antes para a morte do que para a vida. A vida é suficientemente fecunda, mas nós estamos sempre ávidos de meios para viver e nos parece que sempre nos falta alguma coisa. Não os anos nem os dias, mas o espírito é que nos diz se vivemos o suficiente. Já vivi o suficiente, caríssimo Lucílio; agora, satisfeito, espero a morte. Passa bem!

LXII
Das boas companhias

Sêneca saúda o amigo Lucílio

Mentem aqueles que querem mostrar ser a grande quantidade de negócios o impedimento para se dedicar aos estudos. Simulam ocupações e as aumentam, mas só se ocupam consigo mesmos. Eu sou livre, Lucílio, sou livre e, onde quer que esteja, me pertenço. Não me dou às coisas, apenas as aproveito, e nem busco razões para perder tempo. Eu me aquieto em algum lugar, onde me entrego aos meus pensamentos e medito sobre qualquer coisa útil.

Quando me dedico aos amigos, também não me distraio de mim mesmo, nem me entretenho com aqueles que alguma circunstância ou causa oficial nascida dos assuntos públicos me reuniu, mas me detenho com os melhores. A eles, em qualquer lugar, em qualquer século que tenham existido, dirijo o meu espírito.

Sempre trago comigo Demétrio, o melhor dos homens, e, abandonando os homens de toga púrpura, falo com um despojado: eu o admiro. Por que não admirá-lo? Vejo que nada lhe falta. Alguém pode desprezar todas as coisas, mas ninguém pode ter tudo. O caminho mais rápido para a riqueza é desprezá-la. O nosso Demétrio vive assim: não despreza todas as coisas, mas deixa a posse delas aos outros. Passa bem!

LXIII
Do pesar pelos amigos falecidos

Sêneca saúda o amigo Lucílio

Lamento muito pela morte do teu amigo Flaco, porém não quero que tu sofras mais do que deves. Ouso exigir fortemente que não sofras, também sei ser o melhor. Mas quem terá esta firmeza de espírito a não ser quem já está elevado muito acima do destino? A ele também entristecerão essas coisas, mas apenas isso. Mas a nós, se irrompemos em lágrimas, isto é perdoável, se não forem em excesso e se nos esforçamos, nós próprios, por reprimi-las. Morto um amigo, os olhos não devem ficar nem secos nem inundados; devem lacrimejar, não chorar copiosamente.

Parece que te imponho uma dura lei, quando o maior dos poetas gregos concede o direito de chorar, mas por um único dia, quando disse ser esse o tempo durante o qual Níobe se preocupou com o alimento. Perguntas de onde vêm as lamentações e os prantos desenfreados? Através das lágrimas queremos mostrar nossa saudade, e não nos conformamos com a dor, nós a ostentamos. Ninguém é triste para si. Oh, infeliz estupidez! Existe também uma certa exibição na dor.

"Como?", perguntas. "Deverei esquecer um amigo?" Será breve a memória dele junto a ti se ela ficar junto com a dor; algo fortuito a mudará em riso. Não remeto para um tempo longínquo que transforma toda dor e atenua os lutos mais fechados. Tão logo deixes de te observar, a imagem dessa tristeza desaparecerá. Agora, tu mesmo guardas a tua dor, mas ela foge do guardião; quanto mais forte, mais rapidamente termina.

Façamos com que seja alegre a memória dos nossos mortos. Ninguém volta livremente àquilo que não pode pensar sem sofrimento, e é necessário que assim seja. O nome daqueles que amávamos e perdemos provoca-nos dor, mas também essa traz em si um prazer que lhe é próprio.

Como costumava dizer o nosso Átalo, "a memória dos amigos falecidos é como alguns frutos que são suavemente ásperos, como o vinho muito envelhecido cujo próprio amargor nos deleita; porém, quando passou um espaço de tempo, toda angústia se extingue e nos vem um prazer puro".

Se cremos nele, "pensar nos amigos vivos é como bolo com mel, mas também é útil a memória dos que se foram, embora traga uma satisfação amarga. Quem negaria que coisas acres e ásperas também estimulam o estômago?"

Eu, porém, não penso igual. Para mim, o pensamento sobre os amigos falecidos é doce e brando, pois os tive sabendo que ia perdê-los e, quando os perdi, era como se ainda os tivesse. Faze, pois, meu Lucílio, de acordo com o teu equilíbrio, não interpreta mal um benefício da sorte; ela tirou, mas deu.

Por isso, desfrutamos avidamente da presença dos amigos, porque não podemos ter certeza por quanto tempo ainda os teremos. Pensemos que, frequentemente, os relegamos por alguma longa viagem, ou que, muitas vezes, não os vemos mesmo morando no mesmo lugar, e compreenderemos que, quando estavam vivos, perdemos muito tempo.

Podes tolerar aqueles que tratam os amigos de forma negligente e depois os choram com muita lástima, não amando a ninguém exceto depois que os perderam? Por isso, choram efusivamente, porque temem que haja dúvidas de que os amaram, querem indícios tardios do seu afeto.

Se temos outros amigos além deste, nós os ofendemos e os estimamos pouco, pois pouco importam para nos consolar da perda de um apenas; se não temos, o mal que fazemos a nós mesmos é maior que aquele que recebemos do destino: este nos tirou um amigo; nós, todos aqueles que não soubemos conquistar. Ora, quem não pode amar mais de um não pode, na verdade, nem amar aquele único. Se alguém, tendo sido espoliado de sua única túnica, preferisse chorar a buscar um modo de proteger-se do frio e encontrar algo para cobrir suas costas, não te pareceria muito estúpido?

Quem amavas morreu, procura outro para amar. É melhor recuperar um amigo do que chorar. Sei que isso que vou acrescentar é dito e repetido, mas não vou omitir porque já foi comentado por todos: o fim à dor – se a vontade não pôs, o tempo porá. Mas é muito torpe para um homem prudente que o remédio da dor seja o cansaço da própria dor. É melhor que tu abandones a dor do que ela te abandone; desiste disso, porque, mesmo que queiras, não poderás fazê-lo por muito tempo.

Os nossos ancestrais estabeleceram um ano de luto para as mulheres, mas como limite máximo, não mínimo; para os homens, ao contrário, a lei não fixa nenhum período, porque não é digno. Tu podes me dizer de quantas daquelas mulheres tiradas à força da pira funerária, que à força foram separadas dos maridos, as lágrimas duraram um mês inteiro? Nada vem tão rápido na direção do ódio do que a dor. Ela, quando recente, encontra consolo e reúne outros ao seu redor; contudo, se é inveterada, produz riso, não sem mérito. Com razão, ou era simulada ou estúpida.

Eu te escrevo essas coisas, eu, que chorei tão imoderadamente o meu caríssimo Aneu Sereno, eu, que de modo algum desejava, estou entre os exemplos daqueles a quem a dor venceu. Hoje, porém, condeno o meu comportamento e compreendo que a maior causa do meu pranto foi nunca ter pensado que ele poderia morrer antes de mim. Esta é a única coisa que me ocorria: que ele era mais jovem que eu, muito mais jovem, como se o destino seguisse uma ordem cronológica.

Assim, assiduamente reflitamos sobre a mortalidade tanto nossa quanto de todos aqueles que estimamos. Eu deveria ter dito: "O meu Sereno é mais jovem que eu, mas o que isso importa? Deve morrer depois de mim, mas pode morrer antes." Já que não agi assim, o destino me pegou despreparado para uma desventura súbita. Agora leva em conta que todas as coisas são mortais e, enquanto mortais, têm leis incertas. Poderia acontecer hoje aquilo que poderia acontecer num dia qualquer.

Pensemos, pois, querido Lucílio, logo nós também iremos para onde ele já foi e lamentamos. Talvez, se os sábios dizem a verdade, se há um lugar que nos recebe, aquele que pensamos que morreu simplesmente nos precedeu. Passa bem!

LXVIII
Da sabedoria e do recolhimento

Sêneca saúda o amigo Lucílio

Concordo com a tua decisão de ficar escondido no ócio, mas esconde também o próprio ócio. Saibas que assim farás não segundo o preceito dos estoicos, mas segundo o seu exemplo, e, ainda, porque manda tal preceito, como ficará claro para ti ou quem quer que seja.

Não impomos ao sábio que participe sempre do governo da república; antes, damos ao sábio uma república digna para ele, isto é, a república do mundo, da qual ele não fique fora, ainda que se afaste, ou deixe um pequeno canto dessa república. Ao se transportar para maiores e mais largos espaços, elevando-se até o céu, dar-se-á conta de quão modesta lhe era a poltrona da cúria ou o assento no tribunal. Guarda contigo essas palavras: nunca um sábio age mais do que quando se encontra compenetrado acerca das coisas divinas e humanas.

Agora, torno àquilo que começara a te dizer, isto é, que o teu ócio seja ignorado. Não imponhas para ti o rótulo de filósofo ou de recluso. Põe outro nome no teu propósito, chama-o de debilidade, imbecilidade ou preguiça. Ganhar glória com o ócio é desejo de preguiçoso.

Alguns animais, para que não possam ser alcançados, confundem seus vestígios perto de seu covil; deves fazer o mesmo, pois, do contrário, não faltará quem te siga. Muitos passam pelas coisas abertas e buscam aquelas escondidas e obscuras; as coisas seladas estimulam o furto. Se algo se mostra a qualquer um, parece de pouco valor; o arrombador despreza o que está aberto. Esse costume tem o povo e, do mesmo modo, todos os ignorantes: desejam penetrar nas coisas secretas.

O melhor é não se vangloriar do próprio ócio. Além disso, é um tipo de exibicionismo esconder-se demais e afastar-se da vista dos homens. Fulano escondeu-se em Tarento, sicrano confinou-se em Nápoles, beltrano, por muitos anos, não atravessou os limites da sua casa. Chama a si a multidão quem faz do próprio ócio uma lenda.

Quando te isolares, não o faças de maneira que os homens falem de ti, mas que tu fales contigo mesmo. E sobre o que falarás? Fazendo aquilo que os homens fazem livremente com os demais: critica a ti mesmo, pois assim te acostumarás a dizer a verdade e a ouvi-la. Trata com maior rigor aquilo que tu sentes como mais débil no teu caráter.

Qualquer um tem conhecimento dos próprios males. Assim, aquele alivia o estômago pelo vômito; o outro o sustenta com frequentes jantares; outro, ainda, exaure e purifica o corpo com jejuns; os que sofrem de gota se abstêm do vinho ou do banho. Negligentes quanto às demais coisas, frequentemente voltam aos males mais comuns. Assim, em nosso espírito, existem algumas partes doentes que devem ser curadas.

O que faço no meu ócio? Curo a minha doença. Se te mostrasse um pé inchado, uma mão pálida, os nervos tortos de uma perna contraída, permitirias que eu permanecesse num único lugar e curasse a minha doença. Maior é este mal que não posso te mostrar; no meu próprio peito está a úlcera e o abscesso. Não quero que me elogies, não quero que me digas: "Oh, grande homem! Desprezou todas as coisas, repudiou os furores da vida humana". A ninguém repudiei exceto a mim mesmo.

Não penses vir a mim para ter proveito. Estás enganado se esperas um auxílio, pois aqui não mora um médico, mas um doente. Prefiro que, quando te vás, digas: "Eu pensava que este homem fosse feliz e erudito, mas em verdade, estou decepcionado. Não vi nada, não ouvi nada que desejava e que me faça voltar". Se sentes isso, se dizes isso, houve algum progresso. É melhor que tu ignores o meu ócio do que o invejes.

"Ao ócio, Sêneca", perguntas, "tu me aconselhas? Tu te referes às palavras de Epicuro*?" Eu te aconselho ao ócio para que faças coisas mais elevadas e mais belas do que as que abandonaste. Talvez bater às portas dos poderosos, receber favores de velhos sem herdeiros, ter, no fórum, um invejável poder. Todas as coisas que atraem a inveja, bens efêmeros que, se pesares com justiça, parecerão sórdidos.

Aquele em prestígio me ultrapassa em influência no fórum; este, pelos serviços militares e pela autoridade neles conquistada; outro, ainda, pela multidão de clientes. Não posso ser igual a eles, pois têm muitos méritos. No entanto, é pouco ser vencido por todos se o destino for vencido por mim.

Quem dera já tivesses decidido seguir esse propósito já há algum tempo! Quem dera não fosse tão próximo da morte que buscássemos uma vida feliz! Mas não demoremos também agora; muitas coisas que devíamos ter considerado supérfluas e nocivas pela razão, agora sabemos pela experiência.

Façamos o que fazem aqueles cavaleiros que largaram tarde e querem recuperar o tempo perdido com

---
* Epicuro costumava aconselhar: vive isolado, retirado. (N.T.)

a velocidade. Esta idade é a melhor para tais estudos, pois já perdeu a espuma, deixou os vícios descontrolados do primeiro fervor da adolescência e, agora, não falta muito para superá-los ou extingui-los de vez.

"E quando", perguntas, "te será proveitoso isto que aprendes no fim da vida? E para que servirá?" Para isto: para que eu saia da vida da melhor forma. Mas é necessário pensares que não existe uma idade melhor para o saber que esta que domina muitas experiências, longas e frequentes penitências, em que se chega às coisas saudáveis pelo abrandamento das paixões. Todo aquele que chega à sabedoria pela velhice chega através dos anos. Passa bem!

LXX
Da morte desejável

Sêneca saúda o amigo Lucílio

Após um longo intervalo, vi a tua Pompeia. Fui reconduzido à minha adolescência; parecia-me que tudo o que fizera na juventude poderia novamente fazer, era como se tivesse feito um pouco antes.

Navegamos, Lucílio, pela vida e, como no mar, como disse o nosso Virgílio, "as terras e as cidades se afastam". Assim, neste rapidíssimo curso do tempo, antes de tudo deixamos para trás a infância, depois a adolescência, em seguida aquele tempo, chame como quiser, confinado entre a juventude e a velhice, colocado na fronteira de ambas, por último, os melhores anos da velhice. Para terminar, começa a se fazer presente o fim, comum ao gênero humano.

Pensamos de modo muito insensato que é um perigo; porém, ao contrário, é um porto que devemos procurar e nunca evitar. Se alguém chega a ele nos primeiros anos de vida, não deve se queixar mais do que se tivesse navegado muito rápido. Além disso, como sabes, muitas vezes é um vento fraco que os prende no jogo e cansam-lhes com uma grande e exasperante calmaria; outras vezes, ao contrário, uma corrente impetuosa o transporta com grande velocidade.

Considera que conosco advém o mesmo: a uns a vida conduziu com grande velocidade ao lugar a que se deve chegar, ainda que relutantes; a outros macerou e secou. Como sabes, a vida nem sempre deve ser retida, pois o bom não é viver, mas sim viver bem. Por isso, o sábio viverá o quanto for necessário e não o quanto puder.

Verá aonde deve ir, com quem, de que modo e o que deve fazer. Ele pensa na qualidade da vida e não na sua duração. Se muitas adversidades lhe ocorrem e perturbam a sua serenidade, ele se afasta. E não faz isso em caso de extrema necessidade, mas sim quando começa a duvidar da sorte; ele diligentemente examina se não deve deixar de viver. Não considera importante se busca ou aceita o seu fim, se virá mais cedo ou mais tarde. Não teme uma grande perda; ninguém pode perder grande coisa naquilo que se escorre gota a gota. Morrer mais cedo ou mais tarde não importa, importa é morrer bem ou mal. Morrer bem é fugir do perigo de viver mal.

Por isso, considero muito efeminadas as palavras daquele homem de Rodes que, jogado por um tirano em uma cova e alimentado como uma fera, respondia a quem o aconselhava a não tocar na comida: "O homem, enquanto viver, deve ter esperança".

Mesmo que isso seja verdadeiro, não se deve comprar a vida a qualquer preço. Pode ser que as coisas sejam grandes, pode ser que sejam seguras, mas não as obterei através de uma torpe declaração de fraqueza. Pensarei que a sorte pode tudo naquele que vive, ou que nada pode a sorte contra aquele que sabe morrer?

Às vezes, entretanto, mesmo se a morte certa for iminente e souber que lhe foi destinado o suplício, não se impingirá a pena com suas próprias mãos, isso seria um alívio. É estupidez morrer de medo da morte. Espera, pois aquele que mata sempre vem. Por que precedê-lo? Por que cumprir a crueldade alheia? Invejas o teu carrasco ou o poupas?

Sócrates poderia ter dado fim à vida através do jejum e morrer de fome em vez de veneno. No entanto, passou trinta dias na cela esperando a morte, não com aquele ânimo de que tudo pode acontecer, nem tampouco que um longo tempo permitiria muitas esperanças, mas para se sujeitar às leis, para que os amigos pudessem desfrutar de Sócrates em seus últimos momentos. O que seria mais estúpido: desprezar a morte ou temer o veneno?

Escribônia, mulher severa, era tia de Druso Libão, um adolescente tão tolo quanto nobre, que nutria maiores esperanças que qualquer um poderia ter no seu tempo, ou ele próprio em qualquer época. Quando doente, foi levado do Senado em uma liteira sem um longo cortejo fúnebre, porque todos os seus parentes o haviam deixado só, pois já era mais um cadáver do que um réu. Começou a considerar se deveria suicidar-se ou esperar a morte. Escribônia lhe disse: "Por que te deleita realizar o trabalho de outro?" Não o persuadiu; ele pôs fim à vida e não sem razão. Condenado a morrer dentro de três ou quatro dias, de acordo com a vontade do inimigo, estaria tornando isso um negócio bem-sucedido se continuasse vivo.

De maneira geral, não há muito a dizer sobre adiantar-se à morte ou aguardá-la quando uma violência externa a anuncia. As circunstâncias podem fazer que se vá para um lado ou para outro. Se a alternativa se dá entre uma morte com tormentos ou uma morte simples e fácil, por que não optar por essa última? Do mesmo modo que escolho o navio com que navegarei e a casa em que habitarei, assim também posso escolher o meio pelo qual sairei da vida.

Além disso, do mesmo modo que a vida não se torna melhor se for mais longa, a morte se torna pior se for mais demorada. Em coisa alguma mais do que na morte devemos agir de acordo com o nosso arbítrio. Dissipe-se a alma de acordo com a forma de morte escolhida; busca o punhal, ou a corda, ou o veneno que se espalha pelas veias, avança com decisão e rompe os vínculos da servidão. A vida de qualquer um deve ser aprovada pelos outros, a morte, só por si mesmo; a melhor é a que mais lhe agradar.

É estupidez pensar assim: "Alguém dirá que demonstrei pouca coragem, outro, que fui muito precipitado, outro, que existia um tipo mais heroico de suicídio". Não deves deixar para outros essa decisão que não pertence à opinião pública. Pensa uma só coisa: fugir o mais rápido possível dos golpes da sorte. De todo modo, sempre haverá quem pense mal da tua decisão.

Encontrarás ainda adeptos da sabedoria que negam que devas tirar a tua própria vida e consideram nefasto o suicídio; deve-se esperar a saída prescrita pela natureza. Quem diz isso não vê que fecha o caminho da liberdade. A lei eterna não fez nada melhor do que, quando nos deu uma única entrada para a vida, nos ter dado muitas para a saída.

Eu esperarei a crueldade da doença ou do homem quando posso sair através das tormentas e despistar as adversidades? Este é o único ponto sobre o qual não podemos nos queixar da vida: ela não prende ninguém. As condições humanas estão assentadas em bases sólidas, pois ninguém é infeliz a não ser por sua culpa. Te agrada? Vive. Não te agrada? És livre para regressar de onde vieste.

Para aliviares a dor de cabeça, recorreste frequentemente à sangria; para extenuar o corpo, se abre uma veia. Não é necessário que uma vasta ferida divida o peito; com um bisturi se abre o caminho para aquela grande liberdade e uma pequena picada garante a segurança. O que é, pois, que nos faz preguiçosos e inertes? Nenhum de nós pensa que, a qualquer momento, deverá sair deste domicílio. Assim, o apego ao lugar e o hábito mantêm os velhos inquilinos, mesmo com todas as incomodações.

Queres ser livre em relação ao próprio corpo? Habita-o, pois, como se fosses migrante. Propõe-te que, cedo ou tarde, esta companhia virá a faltar: mais forte te sentirás quando tiveres que deixá-lo. Mas de que modo pensarão no seu fim aqueles cujos desejos por todas as coisas não têm fim?

Deve-se meditar muito sobre isso, o que não é tão necessário para outras atitudes. Para a pobreza, o espírito está preparado; os bens permanecem. Nós nos armamos para enfrentar a dor; assim o bem-estar do corpo íntegro e saudável nunca nos exigirá a prática dessa virtude. Somos fortes para suportar a perda dos amigos; a sorte conserva ilesos todos os que amamos. A consciência da morte chegará, sem dúvida, no dia em que isso tiver que ocorrer.

Não deves pensar que apenas os grandes homens tiveram força para romper as cadeias da servidão humana; não deves pensar que isso não pode ser feito a não ser por Catão, que, não podendo libertar o espírito com o punhal, o fez com as próprias mãos. Homens muito miseráveis, num grande ímpeto, evadiram-se totalmente: como não podiam escolher o modo de morrer, nem mesmo escolher por seu arbítrio o instrumento da morte, pegaram o que estivesse mais perto e, por sua forte violência, fizeram armas daquelas coisas que por natureza não eram nocivas.

Há pouco tempo, no circo dos gladiadores, um dos germanos, quando se preparava para os espetáculos matutinos, dirigiu-se ao único lugar onde podia ir sem os guardas. Uma vez na latrina, tomando um bastão com uma esponja amarrada para limpar os excrementos, enfiou-o todo na garganta e, ficando sufocado, morreu. Fez isso com profundo desprezo pela morte. Assim, morreu de modo imundo e indecente: mas o que é mais estúpido que ter escrúpulos com a morte?

Ó homem forte, ó varão digno de poder escolher o seu destino! Quão fortemente teria feito uso da espada, quão corajosamente teria se lançado das altitudes às profundezas do mar ou teria se jogado de uma rocha escarpada. Destituído de recursos, ainda assim encontrou a arma para se matar; nada impede a morte, só a falta de vontade. Julgue-se como quiser o gesto desse homem intrépido, mas consinta-se nisto: deve-se preferir a mais imunda morte à mais limpa servidão.

Como comecei usando exemplos sórdidos, continuarei neles. Exigirá mais de si mesmo aquele que vir que a morte pode ser desprezada até pelos homens mais desprezíveis. Catão, Cipião e outros, que se costuma enumerar com admiração, julgamos estar acima da imitação. Já eu te mostrarei que há exemplos dessa virtude tanto no circo dos gladiadores quanto entre os generais da guerra civil.

Há pouco tempo, um homem que era levado sob custódia para o espetáculo matutino, fingindo um sono premente, cambaleante, inseriu a cabeça entre os raios da roda, permanecendo firme até que a roda girou e lhe quebrou o pescoço. Assim, o próprio veículo que o levaria ao sofrimento foi seu instrumento para a liberdade.

Não existem obstáculos para quem deseja deixar a vida. A natureza nos mantém em cárcere aberto. Quando as necessidades permitem, busque-se uma saída fácil; quando se tem em mãos muitas saídas possíveis, deve-se fazer a escolha e considerar o melhor modo de se libertar; quando a ocasião é difícil, deve-se considerar a melhor, a que estiver mais próxima, seja inaudita ou insólita. A quem não falta coragem para a morte não faltará também imaginação.

Não vês que até mesmo os mais humildes escravos, quando a dor lhes dá estímulos, se enchem de coragem e despistam as mais intensas vigilâncias? Aquele homem que não apenas ordena a si mesmo a morte, mas a realiza, é de valor.

Eu prometi mais exemplos desse gênero. No segundo espetáculo de naumaquia*, um dos bárbaros enfiou em sua própria garganta a lança inteira que recebera para lutar contra os adversários. "Por quê?", disse a si próprio, "por que não fujo já de todo tormento e de toda humilhação? Por que eu, estando armado, espero a morte?" Tão mais especial foi esse espetáculo, quanto mais honroso é os homens aprenderem a morrer do que a matar.

O quê? O que quer que tenham essas almas perdidas ou mesmo criminosas, não têm aqueles que contra essas adversidades foram preparados por uma longa meditação e pela razão, mestra de todas as coisas? Ela nos ensina que vários são os acessos usados pelo destino, mas o fim é um só; em nada interessa onde começa

---

* Entre os romanos, local onde se apresentava um espetáculo que expressava um combate naval. (N.T.)

algo que é inevitável. Essa mesma razão te aconselhará a morrer, se possível, como te agradar, agarrando qualquer coisa que te possa levar à morte. É indigno viver num ímpeto, mas, ao contrário, morrer num ímpeto é belíssimo. Passa bem!

LXXVII
Do suicídio

Sêneca saúda o amigo Lucílio

Hoje nos apareceram, subitamente, os navios alexandrinos que costumam preceder a frota e anunciar a chegada dos demais. São chamados navios-correio. Com alegria a Campânia os vê chegar: a multidão se concentrou nos molhes de Putéolos e, pelo próprio tipo das velas alexandrinas, reconheceu o navio em meio a um grande número de embarcações. Pois só eles podem desfraldar a vela pequena que, em alto-mar, todos os navios têm.

Nenhuma coisa ajuda mais o curso do navio como a parte superior do velame; ela é que impele o navio com maior força. Assim, quando o vento aumenta e se torna maior do que o esperado, a antena é abaixada: embaixo o sopro tem menor força. Quando entram em Capri e passam o promontório a partir do qual "Palas é visto no proceloso vértice"*, os demais navios têm de se contentar com a vela grande: a gávea é a insígnia das naus alexandrinas.

Nesse precipitar de todos para o cais, eu sentia prazer na minha preguiça; embora estivesse esperando cartas dos meus, não me apressei em saber qual era o estado das minhas coisas por lá, o que teriam me enviado; já há algum tempo ganhos e perdas eram o mesmo para mim. O mesmo ocorreria se eu não fosse velho, muito mais agora. Por menos que eu tenha, ainda me sobraria

---
* Autor desconhecido. (N.T.)

mais viático* do que via, até porque não é necessário que percorramos até o fim a via em que ingressamos.

Seria uma viagem incompleta se parássemos na metade ou antes do lugar estabelecido? A vida não é incompleta se é honesta. Onde quer que pares, se parares bem, estará completa. Muitas vezes, pois, há que acabá-la por motivos fortes; na verdade, não são mais importantes as causas que nos mantêm vivos.

Túlio Marcelino, a quem tu conheceste muito bem, adolescente quieto e velho precoce, acometido de uma doença não incurável, mas longa, penosa e que exigia muitos cuidados, começou a deliberar sobre a morte. Convocou inúmeros amigos. Uns, porque covardes, aconselhavam-no a fazer aquilo que eles próprios fariam; outros, porque aduladores e amáveis, davam-lhe o conselho que pensavam ser mais agradável à sua decisão. Um estoico, nosso amigo, homem exemplar e, para louvá-lo com palavras dignas dele, homem forte e corajoso, parece-me ter lhe dado o conselho mais adequado. Assim, pois, ele começou: "Meu Marcelino, não te atormentes como se deliberasses sobre um grande fato. Viver não é uma grande coisa; todos os teus escravos vivem, todos os animais também; o verdadeiramente grande é morrer com honestidade, prudência e coragem. Pensa que há muito tempo fazes a mesma coisa: comida, sono, libido – a vida se resume a isso. Não só o prudente, o forte ou o miserável pode desejar morrer, também pode o enfastiado."

Ele não precisava de quem o persuadisse, mas sim de quem o ajudasse: os seus servos não queriam prepa-

---

* O sentido original da palavra *viático* é provisões de viagem. Porém, através da Igreja Católica, essa expressão se consagrou como a *Comunhão Sacramental* administrada aos fiéis em artigo de morte, ou seja, aos moribundos. (N.T.)

rá-lo. Primeiro, o estoico lhes dissipou o medo e lhes mostrou então que só haveria perigo familiar se não houvesse certeza de que a morte do senhor era voluntária; de todo modo, era tão mau exemplo assassinar o seu senhor quanto proibi-lo de se matar.

Em seguida, aconselhou ao próprio Marcelino que seria agir com humanidade se, assim como terminado o jantar se divide as sobras entre aqueles que circundam, ele, ao dar fim à vida, desse algo àqueles que foram seus servidores durante tanto tempo. Marcelino era afável e liberal, mesmo com o que era seu; assim, distribuiu pequenas somas entre os servos que choravam e, além disso, os consolou.

Não foi necessário espada nem sangue: por três dias, absteve-se de comer e ordenou que fosse posta uma tenda no seu quarto. Depois, foi colocada uma banheira na qual ele se acomodou enquanto lhe derramavam água quente, até que, aos poucos, desfaleceu não sem algum prazer, como disse aquele que assistiu o desmaio, sensação que desconhecemos já que perdemos os sentidos.

Eu me excedi na história que, certamente, não te será desagradável; assim, sabes que a morte do teu amigo não foi difícil nem infeliz. Embora se suicidando, ainda assim o fez suavemente, e a vida se foi. Espero que esta narrativa não tenha sido inútil. Muitas vezes, é necessário dar tais exemplos. Muitas vezes, devemos morrer e não queremos, ou obrigatoriamente iremos morrer e tampouco queremos.

Ninguém é tão ignorante que não saiba que um dia deverá morrer; no entanto, quando a hora se torna próxima, ele hesita, treme, implora. Não te pareceria o mais estúpido dos homens aquele que chorasse por não ter vivido milhares de anos antes? Igualmente estúpido é quem chora por não viver daqui a milhares de anos. São situações idênticas: não serás como não foste, nenhum dos dois tempos te pertence.

Neste espaço de tempo estás preso. Mesmo que o estendas, até onde o estenderás? Por que choras? O que esperas? Perdes o teu tempo. "Não esperes que, rezando, possas mudar os destinos que os deuses determinaram."* São predeterminados e fixos e conduzidos por uma grande e eterna necessidade. Irás para onde tudo vai. O que é novidade para ti? Nasceste para essa lei. Isso aconteceu a teu pai, a tua mãe, aos teus avós, a todos que antes de ti foram e aos que depois de ti irão. Uma série invencível, e em nada mutável, envolve e arrasta tudo consigo.

Quantos dos que vão morrer não te seguirão? Quantos não te acompanharão? Mais forte serias, penso, se muitos milhares morressem contigo; então, se neste mesmo momento de morrer tu duvidas, muitos milhares de homens e animais estarão exalando o espírito de vários modos. Tu, porém, não pensavas que um dia ou outro chegarias a esse lugar para onde sempre caminhavas? Não existe caminho sem fim.

Pensas que agora te relatarei exemplos dos grandes homens? Falarei dos meninos. Aquele da Lacônia, cuja memória é lembrada, ainda imberbe, que, tendo sido capturado, clamava naquela sua língua dórica: "Não serei escravo". E impôs fé às suas palavras; quando primeiro lhe ordenaram uma função humilhante e servil – buscar um vaso para excrementos – quebrou a cabeça contra a parede.

---

* Virgílio, *Eneida*, VI, 376. (N.T.)

A liberdade está tão próxima e há escravos ainda? Então, não preferirias que um filho teu morresse assim a vê-lo envelhecer servil e covarde? Por que, então, te perturbares, se até mesmo um menino é mais forte que a morte? Pensa que, se não quiseres seguir, serás arrastado. Faze por vontade própria aquilo que não podes mudar. Não assumirás o espírito daquele menino para dizer "não sou escravo"? Infeliz, já és escravo dos homens, escravo das coisas, escravo da vida; até mesmo a vida, se falta a virtude para morrer, é uma escravidão.

Tens algo ainda para esperar? Os próprios prazeres que te atrapalham e te retêm já consumiste: nenhum é novo para ti; nenhum te será odioso pela própria saciedade. Tu sabes o que é o vinho, sabes qual é o sabor do mel misturado com água. Não importa se pela tua vesícula passam cem ou mil ânforas: não passas de um filtro. Conheces melhor do que ninguém o gosto das ostras e dos rascassos*; a tua luxúria não te deixou nada intacto para os anos futuros. E essas são as coisas que tu deixas de má vontade.

O que mais há que te causa dor deixar? Os amigos? Mas tu sabes ser um amigo? A pátria? Por acaso a tens em tanta estima que por ela retardes o jantar? O sol? Aquele que, se pudesses, o extinguirias. Fizeste algo para ser de digno de sua luz? Confessa que não é por causa do senado, nem do foro, nem do desejo das próprias coisas da natureza que tu retardas a morrer; tu abandonas de má vontade um mercado do qual nada te falta experimentar.

Temes a morte; porém, logo te esqueces dela frente a um prato de cogumelos? Queres viver; mas sabes viver? Temes morrer; por quê? Esta vida não é a mor-

---

* *Rascasso* é um tipo de peixe de carne vermelha. (N.T.)

te? Enquanto Caio César passava pela Via Latina, um dos seus prisioneiros, um velho com uma longa barba junto ao peito, lhe pediu a morte. "Ainda, pois, tu vives?", perguntou. Isto é o que se deve responder a estes para quem a morte seria um favor: "Temes morrer?" Mas ainda estás vivo? "Mas eu", responde, "quero viver, porque faço muitas coisas importantes; de má vontade me afasto dos deveres da vida, que realizo fiel e industriosamente." Por quê? Não sabes que um dos deveres da vida também é morrer? Não renegas nenhum dever, pois não há um número certo de deveres que devas terminar.

Toda vida é breve, porque, se comparada com a duração das coisas da natureza, foi curta a de Nestor e a de Sátia, que mandou que fosse escrito em seu túmulo que vivera noventa e nove anos. Vês que há quem se vanglorie de uma velhice longa. Quem poderia suportar tal fardo se tivesse atingido os cem anos? Tal como uma fábula, assim é a vida: não interessa pelo que dura, mas por quão bem foi vivida. Não importa onde irás parar. Onde quiseres, para; apenas lhe impõe um bom desfecho. Passa bem!

LXXX
Dos enganos do mundo

Sêneca saúda o amigo Lucílio

Hoje, estou livre, não por meu próprio mérito, mas devido a um espetáculo ao qual todos os inoportunos chamam de péla. Ninguém irrompe à minha casa sem avisar, ninguém impede a minha reflexão, que, nessa confiança, procede mais audaz. A porta não se abrirá subitamente, ninguém levantará a cortina do meu gabinete; poderei prosseguir livre de tudo, o que é tão necessário para quem caminha só e percorre uma estrada. Não sigo, pois, os meus predecessores? Sim, mas me permito descobrir coisas novas, modificar algumas e abandonar outras. Não sou um servidor deles, apenas alguém que com eles concorda.

Mas falei demais quando prometi silêncio e solidão sem interrupção. Eis que um grande clamor chega do estádio, o qual, embora não apague os meus pensamentos, desvia a minha reflexão. Penso que muitos exercitam os corpos e poucos exercitam a mente; quantos correm ao espetáculo dos jogos do qual nada será tirado de útil; penso no descaso com as boas artes. Quão débil é o espírito daqueles que admiramos ter músculos e envergadura.

E sobretudo, nisto, penso comigo mesmo: se o corpo pode, através do exercício, resistir a socos e pontapés, e não de um único homem, durante um dia inteiro sob o sol ardente na areia escaldante, perdendo sangue, quão mais fácil seria reforçar o espírito para que recebesse, invicto, os golpes do destino, para que se erguesse novamente mesmo que fosse derrubado e pisoteado!

De fato, o corpo precisa de muitas coisas para estar bem; o espírito, ao contrário, cresce por si mesmo, se alimenta e se exercita sozinho. Os atletas precisam de muita comida, muita bebida, muito óleo, enfim, de muito exercício. Tu podes ter a virtude sem nenhum aparato nem despesa. O que quer que te faça virtuoso já está contigo.

De que precisas para te tornares bom? Apenas de vontade! O que, pois, tu mais deves querer do que te libertares desta servidão que oprime a todos, que até os escravos, que estão em condições extremas, nascidos na sordidez, desejam de todo modo se libertar? Gastam todo o seu dinheiro, mesmo tendo que passar fome, para obter a liberdade; e tu, que pensas ter nascido livre, não desejas ter a todo custo a liberdade?

Por que olhas para o cofre? A liberdade não pode ser comprada. Assim, é inútil colocar o nome de liberdade em documentos: não pode ser comprada nem vendida. Esse bem deves dar a ti mesmo, peça-o para ti. Primeiro, livra-te do medo da morte, pois ela nos impõe o seu jugo, e, depois, deves perder o medo da pobreza.

Para que saibas que na pobreza não existe mal, compara os rostos dos pobres e dos ricos. O pobre ri com mais frequência e de forma mais espontânea. Não tem nenhuma preocupação no seu íntimo e, se algo o preocupa, passa por ele como uma nuvem ligeira. No entanto, aqueles que são chamados felizes mostram uma alegria fingida, enquanto a sua tristeza é pesada e doentia, porque não podem, muitas vezes, se mostrar abertamente tristes, mas devem, entre o que lhes corrói o próprio coração, parecer felizes.

Um exemplo é muito frequentemente usado por mim, pois exprime com mais eficácia que outros a farsa da vida humana, na qual representamos mal os nossos papéis. Aquele que entra em cena altivo e diz em voz alta: "Eu impero sobre Argos, Pélopes me deixou este reino, que vai do Helesponto e do mar Jônio ao Istmo" é um escravo, recebe cinco medidas de trigo e cinco denários. E aquele que, soberbo, orgulhoso pela confiança em sua força, diz: "Se não te aquietares, Menelau, morrerás por minha mão!" é pago por dia e dorme sobre um palheiro. O mesmo se pode dizer de todos esses requintados que andam em liteiras suspensos acima dos homens e da multidão. Sua felicidade é uma máscara usada em público; se a tirares eles te causarão piedade.

Ao comprar um cavalo, queres que lhe tirem a manta; se for um escravo, manda despi-lo para que não esconda nenhuma doença. E julgas um homem pelas roupas? Os mercadores de escravos procuram esconder as doenças de todo modo; por isso, os compradores desconfiam dos ornamentos: se notam um braço ou uma perna enfeitado, os fazem descobrir e mostrar o corpo.

Vês aquele rei dos Citas ou dos Sármatas, com a cabeça esplendidamente adornada? Se queres julgá-lo e saber como de fato é, retira-lhe a coroa: sob ela se escondem muitas maldades. Por que falo dos outros? Se queres avaliar a ti mesmo, põe fora dinheiro, casa, posição, considera-te no mais íntimo e não pelo valor que os outros agora te atribuem. Passa bem!

LXXXIV
Do ler e do escrever

Sêneca saúda o amigo Lucílio

Essas viagens que agitam a minha preguiça são vantajosas tanto para a minha saúde quanto para os meus estudos. Vantajosas para a minha saúde? Vê bem: o amor pelas letras me torna indolente e faz com que negligencie meu corpo. Carregado em liteira, desloco-me fisicamente sem me fatigar. Vantajosas para o estudo? Vou dizer-te como. Não me afastei de minhas leituras por elas. Do meu ponto de vista, considero-as indispensáveis: primeiro, para evitar que me contente comigo mesmo; segundo, porque me permitem, após ter conhecimento das pesquisas dos outros, poder avaliar as descobertas já feitas e refletir sobre as que ainda estão por fazer. A leitura alimenta o espírito fatigado pelo estudo sem, contudo, deixá-lo de lado.

Devemos evitar apenas escrever e apenas ler, pois se só escrevemos esgotaremos nossas forças (falo do trabalho de escritura), enquanto somente escrever fará com que se diluam. É necessário passar de um exercício para outro com justa medida, a fim de que a escritura organize tudo que foi recolhido na leitura.

Devemos, como se diz, imitar as abelhas, que vão de um lugar a outro para escolher as flores que lhes darão mais mel e depois repartem e dispõem em favos tudo o que recolheram e, como diz Virgílio, "elas fabricam o mel líquido e incham os alvéolos de doce néctar".*

---

* Virgílio, *Eneida*, 1, 432-433. (N.T.)

A propósito das abelhas, não se sabe com certeza se tiram das flores o suco que se transformará em mel ou se transformam aquilo que recolhem, por meio de alguma propriedade própria, de modo a dar-lhe aquele sabor especial. Para alguns, a sua arte consiste não em fazer o mel, mas apenas em recolhê-lo. Diz-se que, na Índia, existem certos tipos de cana em cujas folhas o mel é encontrado. Esse seria produzido pelo clima ou por uma secreção doce abundante da própria cana. Tal secreção existiria em nossas plantas, embora não de maneira tão manifesta, sendo buscada e extraída pelo inseto nascido para esse fim. Outros, contudo, pensam que depende de certa preparação e disposição que as abelhas transformem em mel a matéria extraída das partes mais tenras das folhas e das flores, através da ação de algum fermento que une os elementos distintos. Mas, para não deixar de lado o assunto de que vinha tratando, também devemos imitar as abelhas, e tudo o que acumularmos com nossas diferentes leituras devemos ordenar (melhor se conservam as coisas, se estão em lugares certos) e, após, com todo o nosso esforço e a nossa inteligência, unir em um só saber todos os diversos conhecimentos, de forma a que se consiga perceber a sua origem e se possa demonstrar, igualmente, a sua transformação. Podemos perceber que a natureza faz o mesmo com o nosso corpo sem que o percebamos.

Os alimentos que absorvemos, enquanto mantêm as suas qualidades e ficam em suspensão em nosso estômago, antes da decomposição, são um peso. No entanto, logo que ocorre a transformação, tornam-se sangue e nos dão força. Façamos o mesmo com o alimento do espírito, não permitindo que aquilo que absorvemos mentalmente continue igual, e sim passe a ser outro.

Temos que digeri-los para que não alimentem apenas a nossa memória, mas também a nossa inteligência. Esforcemo-nos para assimilá-los e fazê-los render a fim de que um se transforme em muitos, como se faz um só número de muitos, a partir da soma de quantidades pequenas e desiguais. Que nosso espírito faça o mesmo: que dissimule tudo com o que se nutriu e apresente somente o resultado final.

Desejo, ainda, que se revele em ti a semelhança com algum autor que admires. Desejo que te assemelhes a ele como um filho a seu pai, e não como um retrato a seu modelo. O retrato é uma coisa morta. "Que dizes? Não se reconhecerá aquele cujo estilo, raciocínio e pensamentos se estão a imitar?" Creio que seja possível que isso ocorra, se é um homem de grande talento que imprimiu sua própria marca ao modelo escolhido, transformando-o em uma unidade.

Observa de quantas vozes é formado um coro. No entanto, todas elas formam apenas uma, a aguda, a grave e a média. Juntam-se as vozes masculinas e femininas, acompanhadas pela flauta. Todas elas ficam indistintas e ouve-se apenas o conjunto.

Estou falando do coro tal como o conheceram os filósofos antigos. Nos espetáculos de hoje, há mais cantores do que havia, no passado, espectadores no teatro. Os corredores ficam cheios pelas filas de cantores, a plateia fica rodeada de trombetas. Da orquestra ressoam flautas e todos os tipos de instrumentos: de sons tão diferentes, faz-se uma só harmonia. Desejo que nosso espírito faça o mesmo. Que seja rico de conhecimentos, de preceitos, de exemplos tomados de épocas diferentes, mas que aspirem à unidade.

"Como", me perguntarás, "pode-se chegar a tudo isso?" Através de uma vigilância contínua, não agindo jamais senão sob o controle da razão. Se desejares escutá-la, ela te dirá: "Deixa de lado essas coisas atrás das quais os homens correm. Deixa as riquezas, perigo e fardo para aqueles que as possuem. Renuncia aos prazeres do corpo e da alma; eles amolecem e debilitam. Renuncia à ambição, coisa vã e pomposa, que não tem limite nem freio, procurando sempre ultrapassar os que caminham à frente ou ao lado, atormentada pela dupla inveja. Sabes bem como é ruim invejar e ser invejado."

Repara nos palácios dos poderosos. Todos se acotovelam em sua porta para saudar os donos. Muitas afrontas têm que aguentar para conseguir entrar e, uma vez lá, outras mais. Passa longe das escadarias dos ricos e de seus terraços, pois, se neles ousares entrar, estarás à beira de um precipício, de um terreno prestes a ruir. O melhor é dirigir-te para a sabedoria, onde encontrarás, ao mesmo tempo, tranquilidade e grandes possibilidades de crescimento.

A tudo o que se sobressai nas coisas humanas, mesmo que pareça pequeno e não se faça perceber senão se comparado com algo menor, somente se chega através de árduo trabalho. Difícil é o caminho que conduz ao cume da dignidade. No entanto, se te propuseres a alcançar esse caminho, diante do qual também o destino fez reverência, poderás ver, a teus pés, todas aquelas coisas que os homens julgam como as mais nobres. E, a partir deste ponto, o caminho se tornará fácil de ser trilhado em direção ao supremo bem. Passa bem!

LXXXVIII
Das artes liberais

Sêneca saúda o amigo Lucílio

Queres saber o que penso a respeito das "artes liberais"? Nenhuma delas tem valor para mim, nenhuma tem o mérito de figurar entre os bens autênticos, uma vez que são praticadas pelo dinheiro. São ciências secundárias, que têm por utilidade apenas preparar a inteligência, sem atrapalhá-la. Não devemos praticá-las. Devemos nos deter nelas apenas enquanto o espírito não está preparado para coisas mais importantes. Representam apenas rudimentos, e não obras definitivas.

É por isso, compreendes, que são chamados de estudos liberais: porque são para o homem livre. Na realidade, há apenas um estudo que seja verdadeiramente liberal, o que torna livre: o da sabedoria, estudo pleno de grandeza, de coragem e de nobreza. Todo o resto é pequeno, pueril. Acreditas, realmente, que possa haver algo de bom nessas matérias que ensinam as coisas mais desonestas e indignas? Tais disciplinas não devemos aprendê-las, mas tê-las aprendidas. Alguns julgaram interessante examinar se esses estudos poderiam tornar o homem honesto, coisa que eles não têm como objetivo nem capacidade.

O gramático se ocupa com a linguagem e, se deseja alargar seu campo de estudo, dirige-se à história, à poesia. De todas essas disciplinas, qual abre o caminho da virtude? A escansão das sílabas? A escolha escrupulosa das palavras? A leitura de fábulas mitológicas? A lei e as variações do verso? Qual, dentre essas artes, livra da ambição, suprime o medo, refreia a paixão?

Passemos à geometria e à música. Tu não encontrarás lá quem nos defenda do medo ou da ambição. Há de se procurar saber se ensinam a virtude; se não a ensinam, todo o saber é inútil, pois não sabem comunicar a sua sabedoria. Se a ensinam, são filósofos. Queres te convencer de que não se propõem a ensinar a virtude? Repara como são diferentes os ensinamentos de uns e de outros. Se executassem a mesma doutrina, seriam iguais.

Se não estás convencido de que Homero foi filósofo, os seus argumentos provam o contrário. Fazem dele um estoico que não aceita senão a virtude, que se esquiva dos prazeres e que nem mesmo em troca da imortalidade se aparta do caminho que julga correto. Outras vezes, julgam-no um epicurista, que admira a posição pacífica de uma cidade, passando a vida entre festas e cantos. Também o consideram peripatético, que apresenta uma versão tripartida dos fatos. Por vezes, ainda, chamam-no acadêmico, um pregador da incerteza universal. Evidentemente, não existe em Homero nenhuma dessas características separadamente, porque nele todas estão juntas e são incompatíveis. Digamos que Homero foi um filósofo. Assim, conheceu a sabedoria antes de fazer poesia. Aprendamos, portanto, tudo o que tornou Homero um sábio.

Pesquisar, entretanto, se Homero é anterior a Hesíodo é tão importante quanto saber por que Hécuba, sendo mais jovem que Helena, carregava com tanto peso a sua idade. Em que ajuda saber a idade de Pátroclo ou Ulisses?

Indagar por onde errou Ulisses, em lugar de nós sairmos a errar? Não temos tempo para procurar saber se foi perseguido por tempestades entre a Itália e a Sicília ou fora do mundo conhecido, pois ele não poderia errar tanto tempo por um espaço tão limitado. As tormentas da alma nos assaltam todos os dias, e todas as maldades possíveis nos são lançadas. Não falta uma bela forma que nos tente os olhos, não falta um inimigo. Monstros enormes em busca de sangue, traiçoeiras lisonjas, naufrágios e todas as espécies de males. Dize-me como amar minha pátria, minha mulher, meu pai, e, naufragando, como poderei nadar em direção a nobres objetivos?

Por que indagar se Penélope traiu e enganou a todo mundo? Se suspeitou, antes de todos, que era Ulisses a estar em sua frente? Ensina-me o que é a castidade, se é um bem e se reside no corpo ou na alma.

Passo, agora, ao músico. Tu me ensinas como os sons agudos e graves combinam entre si, de que maneira os diferentes sons produzidos pela corda formam uma harmonia. Mostra-me, antes, de que maneira a minha alma poderá ficar em harmonia com ela mesma, de modo que não haja dissonância com as minhas resoluções. Indica-me quais são os tons chorosos, mostrando-me, sobretudo, como, em meio aos infortúnios, não passar a me lamentar.

O geômetra ensina-me a medir as grandes propriedades. Faria melhor se me ensinasse a encontrar a medida exata daquilo que satisfaz ao homem. Aprendo a contar e treinar os meus dedos para a avareza, em lugar de aprender que todos esses cálculos não têm nenhuma espécie de utilidade e que não é mais feliz o dono de tal patrimônio cujo gerenciamento causa cansaço. Ao contrário, o dono de tais bens supérfluos seria bem infeliz se tivesse que fazer o levantamento de tudo o que possui.

De que me adianta saber lotear um terreno se não sei dividi-lo com um irmão? Para que saber calcular o número de pés de uma jeira* e, ainda, constatar que parte da medida me escapou, se me entristece ter um vizinho insaciável que subtrai algo que me pertence? Ensinam-me a não perder nada de minhas terras. Eu, no entanto, quero é perdê-la toda com alegria. "Mas é da terra de meu pai e de meu avô que me expulsam!"

E daí? Antes de teu avô, quem possuía essas terras? Podes apurar a qual povo – já nem digo homem – pertencia essa terra? Tu não entraste nela como dono, mas como lavrador. Lavrador de quem? Mais adequadamente falando, do herdeiro. Os juízes dizem não ser possível tomar para si aquilo que é do domínio público; o lugar que ocupas, que entendes ser teu, faz parte do bem comum e mesmo da humanidade inteira.

Ó arte admirável! Sabes medir tudo o que é redondo, sabes reduzir ao quadrado toda figura proposta, conheces as distâncias entre os astros. Não há nada que não possas medir. Se és um grande geômetra, mede a alma do homem, dize-nos sua grandeza ou pequeneza. Sabes o que é uma linha reta, mas de que te serve isso se ignoras o que é uma vida de retidão?

....

Eis o que deve querer saber quem muito quer saber. Pensa no tempo que nos toma a doença, as ocupações públicas e privadas, os encargos cotidianos, o sono. Avalia a tua vida; ela não é tão vasta para tudo isso.

---

* Medida agrária de 240 pés de comprimento por 120 de largura. (N.T.)

Eu falo das artes liberais, porém muito de supérfluo e inútil existe também nos filósofos. Mesmo eles penderam para as divisões silábicas, para as propriedades das conjunções e proposições, a competir com os gramáticos, a ter inveja dos geômetras. Tudo de inútil nessas artes trouxeram para a sua própria. O resultado? Souberam melhor falar do que viver.

Escuta como é perniciosa a sutileza em demasia, como é nefasta a verdade. Protágoras diz que se pode, em todas as situações, discutir os prós e os contras de forma igual, a começar pelo fato de saber se toda situação pode ser defendida em ambos os sentidos. Neusífanes diz que, daquilo que parece ser, tudo pode ser como não ser. Parmênides diz que não há nenhuma diferença entre todos os objetos que vemos. Zenão de Eleia livrou-se do problema para sempre: para ele, nada existe. Está bem perto a tese dos pirrônicos, os megáricos, os eretríacos e os acadêmicos, que trouxeram um novo saber: a ignorância total.

Tudo isso se coloca no conjunto de questões que nos ensinam as artes liberais. Uns me ensinam uma arte que de nada me servirá; outros, me tiram toda a esperança de aprender o que quer que seja. Assim, mais vale saber o supérfluo do que não saber nada... Uns não me dão a luz que poderá me conduzir para a compreensão da verdade; outros me arrancam os olhos. Se acredito em Protágoras, não há nada que não seja incerto na natureza. Se acredito em Nausífane, a única coisa certa é a incerteza. Se em Parmenide, só existe uma coisa; se em Zenão, nenhuma.

Afinal, que somos nós? E todas as coisas que nos rodeiam, nos alimentam, nos equilibram? A natureza, como um todo, é uma ilusão, é vazia. Não saberia dizer quem mais me exaspera: se os que não permitem que saibamos algo, ou os que nem sequer isso nos concedem – não saber nada. Passa bem!

XCIII
Da qualidade da vida comparada com a sua duração

Sêneca saúda o amigo Lucílio

Em carta na qual te queixas da morte do filósofo Metronax, como se ele pudesse ou quisesse viver mais, não pude reconhecer o espírito de justiça que demonstras em relação a todos e a tudo. Percebi que esse espírito estava ausente em um assunto que também falta a todo mundo. Já tive a oportunidade de encontrar muitos que se dão bem com os homens, porém, com os deuses, nenhum. Todos os dias, acusamos o destino: "Por que este foi levado, quando ainda estava no auge de sua carreira, e não aquele outro?". "Por que a velhice se prolonga quando é um fardo para si e para os outros?"

O que é mais correto, pergunto, obedecer à natureza ou ser obedecido por ela? O que importa sair antes ou depois de um lugar de onde deveremos todos sair um dia? O que importa não é viver muito, mas viver com qualidade. Com efeito, viver muito tempo quem decide é o destino. Viver plenamente, o teu espírito. A vida é longa se for vivida com plenitude. Assim, ela está plena quando a alma tomou posse do bem que lhe é próprio e não depende senão de seu poder.

Qual o proveito, para este homem, seus oitenta anos passados sem nada produzir? Não viveu, apenas passou por algum tempo pela vida. Não morreu tarde, passou longo tempo morrendo. Viveu oitenta anos, mas viveu mesmo? Tudo depende a partir de quando se conta a sua morte.

Aquele outro, ao contrário, morreu em plena atividade, cumpriu os seus deveres de bom cidadão, bom amigo e bom filho, não falhou em nenhum ponto. Se ele não atingiu seu tempo, ainda assim, cumpriu a sua obra. O outro viveu oitenta anos? Não, ele apenas perdurou oitenta anos, a menos que penses que viver é ser como as plantas e os vegetais. Peço-te, Lucílio, que nossas vidas, como as pedras preciosas, valham não por sua duração, mas por seu peso. Devemos medi-las por sua atividade real, não por seu tempo. Desejas saber a diferença existente entre aquele que despreza a fortuna e que, após ter cumprido todas as exigências da vida, conheceu a sublime felicidade e aquele homem que apenas viu os anos passarem em branco? Um ainda vive após ter morrido; o outro, antes de morrer, já havia deixado de viver.

Louvemos e coloquemos entre os mais felizes aqueles que fizeram um bom emprego do tempo que lhes foi dado. Este conheceu a verdadeira luz. Ele não foi apenas um entre tantos. Conheceu vida e vigor. Por vezes, gozou de um tempo sereno; por outras, como acontece, o sol foi encoberto por algumas nuvens. Por que indagas qual foi a duração de sua vida? Ele vive. Passou de uma vez para a posteridade e ficou na lembrança dos homens.

Nem por isso negarei um acréscimo de anos para a minha vida. Mas se o período dela for cortado, não poderei dizer que minha felicidade não foi completa. Não estou preparado para aquele dia que a minha sôfrega esperança me prometeu como o último. Não há um dia de minha vida que não tenha considerado como o último. Por que me indagas quando nasci e se ainda sou jovem o bastante para não partir? Eu tenho a minha própria contagem.

Da mesma maneira que um homem pode habitar um corpo miúdo, também a vida pode ser perfeita se tiver uma curta duração. A idade faz parte das coisas exteriores. A duração de minha vida não depende de mim. O que depende é que não percorra de forma pouco nobre as fases dessa vida; devo governá-la, e não por ela ser levado.

Queres saber qual é a vida mais longa? Aquela que tem seu fim na sabedoria. Chegar a esse ponto é atingir o fim mais longínquo e também mais elevado. Assim, o homem pode celebrar audaciosamente, prestar homenagem aos deuses e, dentre os deuses, a ele próprio, fazendo com que a natureza agradeça-lhe pelo que é, pois devolve a ela uma vida melhor que a recebida. Estabeleceu o tipo ideal do homem de bem, demonstrou sua qualidade e sua magnitude. Se algo mais fosse acrescentado a seus dias, apenas conseguiria levar adiante o seu passado.

Afinal, até quando desejamos viver? Pudemos conhecer todas as coisas. Sabemos como se constroem os princípios da natureza, como comanda o mundo, por quais movimentos das estações encerra o ciclo anual, como deixa delineados todos os fenômenos que deverão ocorrer, sem procurar os seus fins fora de si mesma. Sabemos que os astros giram com movimento próprio, que, com exceção da Terra, nada é fixo, que tudo o mais percorre o seu curso com velocidade inalterável. Também sabemos que a lua ultrapassa o sol, porque, sendo mais lenta, deixa-o atrás de si, de forma a receber ou perder a sua luz, trazendo um o dia e outro a noite. O que nos resta é atingir esse lugar no qual essas coisas extraordinárias possam ser observadas de perto.

"Nem a esperança", diz aquele sábio, "de um caminho aberto para mim em direção aos deuses me faz partir com mais coragem. Sem dúvida, mereci ser admitido entre eles e já me imagino lá. Elevo meu pensamento até eles e os deles chegam até mim. Suponha, entretanto, que eu esteja destruído aqui e que não reste nada ao homem após sua morte. Ainda assim, eu mantenho a minha coragem, mesmo se ao deixar esse mundo não vá para lugar nenhum."

"Mas ele não viveu o número de anos que poderia ter vivido." Um número reduzido de linhas pode formar um livro, apreciável e útil. Tens conhecimento de como os *Anai*s de Tanúsio são indigestos e qual o nome que lhe é dado. A vida longa de certos homens se iguala ao livro de Tanúsio. Consideras que o gladiador que morre no fim do espetáculo é mais feliz que aquele que morre no meio? Podes imaginar que algum desses homens deseje tanto viver que prefira ser enforcado no vestiário a morrer lutando na arena? O tempo que nos separa uns dos outros não é o mais importante. A morte está sempre junto a nós, sem esquecer ninguém; o assassino persegue a sua vítima. Apenas por um momento a mais é que as pessoas procuram com tanto empenho. De que serve evitar por mais ou menos tempo aquilo que é inevitável? Passa bem!

XCV
Da utilidade dos princípios básicos

Sêneca saúda o amigo Lucílio

....

Os médicos de antigamente não sabiam prescrever refeições mais frequentes, nem conter com o vinho um pulso mais fraco. Ignoravam a sangria e os banhos de vapor que dissipam as doenças crônicas. Não sabiam que, amarrando pés e braços, era possível levar para as extremidades uma doença que residia no fundo de nosso organismo. Um sistema de defesa assim tão completo era inútil, uma vez que os perigos eram raros.

Mas, agora, como se multiplicaram os males que afetam a saúde! Esse é o preço que pagamos pelos prazeres ilícitos, usufruídos sem qualquer medida. Nossas doenças são inumeráveis. Isso te espanta? Conta o número de cozinheiros. Todo o trabalho intelectual cessou. Os professores das artes liberais estão abandonados, sem público, com escolas desertas. Nas escolas dos retóricos e dos filósofos, reina a solidão. Mas as cozinhas, que multidão! Um grande número de jovens se amontoa ao redor dos fornos dos perdulários.

E nem falo desses infelizes rebanhos de mocinhos a quem, terminada a festa, aguardam, em cubículos, outros tipos de ultrajes. Não falo, também, dos grupos de adolescentes, separados por nação, cor e a fim de que, em cada grupo, todos tenham a mesma quantidade de pelos, a mesma cor de cabelos, e que não sejam misturados aqueles de cabelos lisos com os de cabelos crespos. Não faço referência, igualmente, ao grupo de doceiros e ao de servidores que, a um sinal do senhor, põem-se a circular para servir a ceia. Ó deuses, quantos homens um só ventre faz trabalhar!

Quê? Acreditas que aqueles cogumelos, veneno delicioso, não se agitam no estômago se não matarem instantaneamente? Quê? Crês que aquele glacê não obstrui o fígado? Quê? Estás certo de que aquelas ostras, carne mole cevada com limo, não te transmitem nada do recipiente de onde vieram? Quê? Não achas que aquela salmoura da província, podridão preciosa de peixes ruins, queima as entranhas quando se decompõe em um líquido salgado? Quê? Aquelas carnes purulentas que saem direto do fogo para a boca, acreditas que, sem mal algum, se dissolvem facilmente nas entranhas? Em seguida, que arrotos repugnantes e pestilentos! Como se desgostam de si mesmos com tais expurgos! Saiba que esses alimentos não são digeridos, eles apodrecem.

Lembro que há algum tempo falava-se muito de um prato famoso no qual foi reunido tudo aquilo que faz parte da mesa de um glutão durante um dia: conchas de Vênus, espôndilos, ostras picadas com extrema arte. Entre esses mariscos, encontravam-se ouriços-do-mar. O conjunto repousava sobre um leito de rascasso do qual haviam sido retiradas todas as espinhas.

Causa fastio comer um a um todos esses petiscos, pois os sabores se misturam. Mostra-se à mesa aquilo que acontece no estômago farto. Espero o dia de ver servir pratos já mastigados. Não dá muito menos trabalho colocar o cozinheiro a retirar conchas e ossos e a fazer o trabalho dos dentes? "É desagradável saborear iguarias uma a uma; deve-se servi-las todas ao mesmo tempo, tudo concentrado em um único sabor. Por que levar a mão a uma coisa apenas? Que venham todas ao mesmo tempo; unam-se e combinem-se as propriedades de muitos alimentos. Aqueles que dizem ser a mesa um pretexto para a ostentação e fausto devem saber que não se mostram os guisados, eles devem ser adivinhados. Alimentos cujo costume é servir separadamente sejam servidos juntos, enfeitados com um mesmo molho; que nenhum se distinga. Ostras, ouriços, espôndilos, rascassos, quando servidos, estejam todos misturados e tenham sido cozidos ao mesmo tempo." Não seria mais confusa a comida vomitada.

Assim como essas comidas são complexas, também as doenças por elas causadas não são simples. São confusas, desconhecidas, de muitos tipos. Contra elas, a medicina passou a armar-se com diferentes remédios e cuidados.

O mesmo te digo da filosofia. Houve um tempo em que foi mais simples, porque os pecados eram menores e curáveis com pequenos cuidados. Contra tanta subversão dos costumes, todos os recursos deverão ser tentados. Queiram os deuses que, assim, se possa vencer tal calamidade! Passa bem!

XCVI
Das contrariedades

Sêneca saúda o amigo Lucílio

Tu ficas indignado e te queixas! Não compreendes que todo o mal provém não do que te acontece, mas sim de tua indignação e de tuas reclamações? Do meu ponto de vista, não existe miséria para um homem a não ser a de achar que algo que faz parte da natureza das coisas não está correto. Nem a mim mesmo suportarei quando, um dia, começar a considerar algo insuportável. Minha saúde não é boa; faz parte do meu destino. Meus criados estão na cama? Minhas rendas estão em baixa? Minha casa está rachando? Perdas, ferimentos cansaços, inquietudes me assolam? São coisas que acontecem. Indo além, elas devem acontecer, pois não são obras do acaso, estavam determinadas.

Acredita, o que agora te digo faz parte dos meus mais íntimos sentimentos. Sempre que a vida me parece cruel e adversa, imponho a seguinte regra a ser seguida: não obedecer aos deuses, mas segui-los. Faço isso porque quero, não por obrigação. Nada do que vier a me acontecer me abaterá e me deixará com a aparência alterada. Aceitarei de boa vontade aquilo que me cabe, pois tudo o que provoca nossos sofrimentos e nossos medos é da lei da vida. E eu, meu caro Lucílio, não espero que assim seja diferente e que possa estar livre disso.

Tua bexiga te incomoda? Chegaram más notícias pelo correio? Há perdas incessantes? Indo mais longe, temes por tua vida? Pensa bem, não sabias que desejavas tudo isso ao querer envelhecer? Tudo isso faz parte do percurso de uma longa vida, como a poeira, a lama e a chuva durante uma viagem.

"Mas eu gostaria de viver livre de todas essas incomodações", dizes. Afirmação tão insensata não é digna de um homem. Aceita como achares melhor esse meu conselho, se não for pelo que nele há de bom, pelo menos em razão de minha boa vontade: "Não queiram os deuses e deusas que a fortuna te prenda em seus prazeres".

Interroga a ti mesmo, pressupondo que um deus te permita escolher se preferes viver em um mercado ou em um acampamento. Viver, Lucílio, é ser soldado. É por isso que aqueles que se arriscam em missões mais perigosas, através de penhascos e desfiladeiros, são os mais valentes, a elite da tropa. Já aqueles que se ocupam apenas com leves tarefas, enquanto os outros dão o máximo de si, esses não passam de mocinhos delicados, no abrigo, mas sem honras. Passa bem!

XCVIII
Da fugacidade da fortuna

Sêneca saúda o amigo Lucílio

Não acredites que um homem possa ser feliz se a sua estabilidade depende de sua fortuna. Apoia-se em bases frágeis quem faz sua felicidade depender de elementos externos. Toda alegria que assim surge logo se vai; no entanto, aquela que vem do interior é firme e sólida. Ela cresce e nos acompanha até o final. Quanto aos objetos de admiração da plebe, esses são bens de apenas um dia. "Então, deles não podemos tirar proveito e prazer?" Não é isso que se diz, desde que eles de nós dependam, não nós deles.

Tudo o que vem da riqueza não gera frutos, não proporciona satisfação, se o possuidor não possui a si próprio e não toma posse do que lhe pertence. É uma tolice, Lucílio, pensar que a riqueza pode nos fazer algum bem ou mal; ela apenas fornece material para os nossos bens e nossos males, os elementos daquilo que junto a nós poderá se desenvolver em bem ou em mal. Bem mais poderosa que a fortuna é nossa alma. Para o melhor ou o pior, é ela que conduz os nossos destinos, é ela a responsável pela nossa felicidade ou miséria.

Se for má, tudo se converte em maldade, mesmo aquilo que tem a aparência de bem. Se for direita e íntegra, corrige todos os erros da fortuna, ameniza sua inflexibilidade, praticando a arte da tolerância, recebendo com reconhecimento e modéstia a prosperidade e com firmeza e coragem as desventuras. Apesar da sabedoria, do juízo acurado que preside a todos os seu atos, apesar do cuidado para não ir além do que lhe é permitido, não obterá esse bem fora de qualquer ameaça se, frente à incerteza das coisas, não se mantiver na certeza.

Quer observes os outros (julgamos mais facilmente o que não nos é próximo), quer observes a ti mesmo com toda a imparcialidade, te darás conta de que nada do que desejas e sentes prazer te será útil se não te precaveres contra a inconstância da sorte e de tudo o mais que dela depende; se, em todos os momentos de contrariedade, repetires sem queixas: "Os deuses julgaram de forma diferente".

Vamos um pouco além. Para procurar uma fórmula mais corajosa, mais justa, para melhor equilibrar tua alma, dize a ti mesmo, cada vez que algo saia ao contrário do que esperavas: "Os deuses julgaram melhor do que eu". Se tiveres esse equilíbrio, nada te atingirá. Pois bem, atingimos esse estado começando por imaginar o poder das imprevisibilidades humanas antes até de experimentá-las. Ou seja, tendo mulher, filhos e patrimônio, levar em conta que talvez não os tenhamos para sempre. Assim, se os perdermos, não seremos, por isso, mais infelizes.

Desprezível é a alma obcecada pelo futuro, é infeliz antes da infelicidade, deseja ter para sempre as coisas que lhe causam prazer. Não terá descanso, e a necessidade de querer conhecer o futuro lhe fará deixar de lado o presente que poderia ser melhor desfrutado. Temer a perda de algo é o mesmo que já não tê-lo mais consigo.

Não pensa que eu sou a favor da indiferença. Foge dos perigos. Fica atento a tudo que pode ser previsto. O que for que te ameaça, não espera que te atinja, passa longe. Nessa situação, a confiança em ti e o firme propósito de tudo suportar serão muito importantes.

Podemos nos sentir abrigados do destino quando temos força para aguentar seus golpes. De qualquer forma, não é das ondas calmas que nasce a tempestade, ou seja, nada é mais lamentável e menos sábio do que o medo antecipado. Que insensatez é essa de antecipar a adversidade?

Em síntese, e para bem demonstrar esses carrascos de si próprios, digo que eles sofrem o mesmo na espera e durante as suas desgraças. Tal criatura aflige-se mais do que é preciso e antes do que é necessário. A mesma fraqueza que faz com que veja a aflição faz com que não saiba avaliá-la. O mesmo descomedimento com que julga ser feliz para sempre, que considera tudo de bom que lhe acontecer, durar e crescer sempre, faz com que esqueça que o fio sobre o qual o gênero humano oscila nada mais nos promete do que o imprevisto.

Por essa razão, considero admirável esta frase de Metrodoro para o irmão que havia perdido o filho, rapaz de grande futuro: "Todos os bens dos mortais são mortais".* Ele está se referindo àqueles bens que os homens buscam precipitadamente. O verdadeiro bem não desaparece; certo e duradouro, consiste na sabedoria e na virtude, sendo a única coisa imortal que cabe aos mortais.

Alguns são tão descuidados que esquecem a meta para onde cada dia os leva, que se admiram com a perda de uma ou outra coisa, como se não fossem perder tudo um dia. Todos esses bens dos quais te intitulas "possuidor" estão contigo, mas não são teus. Para o fraco, não há nada certo; para o frágil, nada é eterno e invencível. É tão necessário perder quanto morrer e, se isso for bem compreendido, torna-se um consolo. Perde sem dor, porque também perderás, um dia, tua vida.

---

* Metrodoro de Lámpsaco. (N.T.)

Para minimizar os efeitos dessa perda, de que dispomos? De guardar a lembrança do perdido e, assim, não deixar desvanecer o que de proveito se tenha tido com o que se foi. Se a posse vai embora, fica para sempre o privilégio de ter possuído. Muito ingrato é aquele que, quando não tem mais nada, imagina nada dever por aquilo que tenha recebido. A sorte tira o objeto, mas deixa o fruto que nossas queixas nos fazem perder.

De todos os males que parecem infundir temor, nenhum é invencível; todos, um após outro, encontraram um vencedor. O fogo por Múcio. A cruz por Régulo. O veneno por Sócrates. O exílio por Rutílio. A morte por um golpe de espada por Catão. Que nós tenhamos também nossas vitórias.

No entanto, essas ilusórias felicidades que atraem a plebe foram, muitas vezes, desdenhadas por diversas pessoas. Fabrício, o comandante, recusou a riqueza e procurou dobrá-la como censor. Tuberão julgou ser, junto com o Capitólio, digno da pobreza quando, em uma festa pública, fez uso de um prato de barro, procurando mostrar que o homem devia se contentar com coisas ainda usadas pelos deuses. Sexto, o Pai, recusa honras, ele que nasceu para conduzir o poder. Não aceitou a toga laticlava*, oferecida por César, pois estava convicto de que o que pode ser dado também pode ser tirado. De nossa parte, façamos, da mesma forma, algo de generoso. Marquemos nosso lugar entre esses exemplos.

Por que falhamos? Por que nos desesperamos? Tudo o que já foi feito pode por nós ser feito. Comecemos purificando nossa alma e seguindo a natureza, pois quem dela se afasta condena a si próprio a desejar, a temer e a tornar-se escravo da sorte. Podemos retomar

---

* Larga faixa vermelha usada sobre a toga de senador. (N.T.)

o caminho correto, podemos tomar posse daquilo que nos é de direito. Recuperemos tais coisas e saberemos, até o fim, suportar as dores que de qualquer maneira atacarem o nosso corpo. Assim, diremos ao destino: "Estás tratando com um homem. Procura em outro lugar alguém a quem dominar".

Graças a essas palavras, e a outras do mesmo calibre, que a malignidade de uma ferida é atenuada, e prefiro, podes acreditar, que possa ser atenuada ou, pelo menos, que se mantenha estacionada e, ainda, envelheça com o paciente. Estou seguro quanto ao paciente; o que se discute agora é nossa própria perda, o arrebatamento de um velho notável, que viveu uma vida plena e que, se deseja prolongá-la, é para aqueles a quem pode servir e não para si.

Viver é um ato generoso de sua parte. Um outro já quis pôr fim a seus tormentos, julga tão vergonhoso procurar a morte como dela fugir. "Mas como? Se o fato está posto, não devo ir?" Por que deixará de ir se não é mais útil a ninguém, nada mais tem senão o sofrimento?

Eis, meu caro Lucílio, o que se chama aprender a filosofia pela prática e exercê-la concretamente; é ver a coragem de um homem esclarecido diante da morte, diante da dor, quando uma se aproxima e a outra o pressiona. O que deve ser feito aprendemos com aquele que o faz.

Até o presente momento, nossos argumentos levaram a indagar se é possível a qualquer indivíduo resistir à dor; se a morte, ao se aproximar, chega a derrubar as grandes almas. Analisemos os fatos e os encaremos: não é a morte que fortalece esse homem diante da dor, nem é a dor que o encoraja frente à morte. Em face das duas, ele confia em si próprio. Não é a esperança da morte que o faz suportar pacientemente a dor, nem a entrega ao sofrimento que o faz morrer de bom grado. Ele suporta a dor e aguarda a morte. Passa bem!

XCIX
Do consolo ao enlutado

Sêneca saúda o amigo Lucílio

Envio-te a carta que escrevi a Marulo quando da perda de seu jovem filho, morte que, dizem, suportou com pouca coragem. Nessa carta, não agi como sempre, nem julguei que devia tratá-lo com suavidade, uma vez que devia ser repreendido e não consolado. Aquele a quem um grande sofrimento atingiu e que o suporta mal devemos consolar. Que chore todas as suas lágrimas até diminuir seu sofrimento. Mas aqueles que decidem viver se lamentando, a esses é preciso castigar e fazer com que aprendam que mesmo nas lágrimas pode haver estupidez.

"Esperas consolação? Eis uma repreensão. Mostras tão pouca coragem pela morte de um filho? Que farias se fosse um amigo que houvesses perdido? Foi-te tirado um filho, tão pequeno que não se pode dizer o que se esperaria dele. Pouco tempo foi perdido. Procuramos razões para sofrer e queremos nos queixar do destino como se ele não devesse nos oferecer razões verdadeiras para queixas. Mas, por favor, te julgava mais corajoso com os verdadeiros males, quanto mais com esses pequenos de que se queixam todos não mais do que por hábito. Caso tivesses perdido um amigo, a maior das perdas, deverias ainda assim ficar feliz porque o tiveste, e não porque o perdeste.

Mas a maior parte dos homens não leva em conta o bem recebido nem os prazeres que desfrutaram. Um dos defeitos da dor, entre outros, é não ser apenas vã, mas também ingrata. Assim, por que perdeste esse amigo, perdeste tudo? De que serviram tantos anos, tanta intimidade e familiaridade intelectual? Com o amigo enterras também a amizade? Assim, por que choras a perda se de nada te serviu o convívio com ele? Acredita em mim, uma grande parte daqueles que amamos, embora nos sejam tirados, permanece conosco. O tempo que passou nos pertence, e nada está em lugar tão seguro como aquele que já se foi. Na esperança do futuro, somos ingratos para com aquilo que possuímos, como se o que está por vir, caso chegue a se concretizar, não se torne passado imediatamente. Aquele a quem só contentam as coisas do presente restringe muito o seu prazer. O futuro e o passado têm o seu encanto. Um é a espera, o outro, a lembrança. Acontece, porém, que o futuro é uma incógnita, mas o passado não poderá nunca deixar de ser. Que loucura é essa de deixar de lado o que é mais seguro? Contentemo-nos com o que já nos deu prazer, se é que não o tenhamos recebido com a alma fechada e não tenhamos percebido a ponto de deixar esvair-se.

Inumeráveis são os exemplos daqueles que enterraram os filhos jovens sem lágrimas, saindo da cerimônia para o senado, ou para qualquer outra atividade pública, dedicando-se imediatamente a outras coisas. E não sem razão, uma vez que é inútil chorar, pois as lágrimas não trarão nenhum consolo, e de nada serve queixar-se de algo que está, desde sempre, reservado a todos. Enfim, é estúpido lamentar-se da saudade, já que o espaço que separa aquele que se perdeu daquele que o deseja é mínimo. Precisamos ter a certeza na alma de que seguiremos aqueles que perdemos.

Considera a velocidade do tempo, é muito rápido. Pensa na brevidade desse período que percorremos. Observa o cortejo dos seres humanos que se dirigem todos para um mesmo lugar, separados por pequenos espaços de tempo, embora nos pareçam grandes. Aquele que achas que perdeste apenas foi antes de ti. Por que chorar aquele que partiu antes se vais seguir o mesmo caminho?

Existe alguém que chore por algo que sabe que vai acontecer? Aquele que lamenta a morte de alguém lamenta ter nascido. Uma mesma lei rege a todos nós. Quem nasceu deve um dia morrer. Os tempos podem ser diferentes, mas o fim é o mesmo. O espaço compreendido entre o primeiro e o último dia é variável e incerto. Se levas em conta as doenças, é longo mesmo para as crianças. Se levas em conta a rapidez, é curto mesmo para os velhos. Não existe nada que não seja tão escorregadio, enganoso e imprevisível como qualquer tempestade.Tudo vai, tudo vem, tudo muda ao capricho do destino e, em meio a tudo isso, nada é mais certo do que a morte. Apesar de tudo, todos se queixam de um acontecimento para o qual sempre foram avisados.

'Mas morreu ainda muito jovem.' Não me atrevo a dizer, ainda, que vai melhor quem menos tempo teve. Pensemos naquele que envelheceu. Quanto mais teve que o jovem? Imagina a extensão do abismo do tempo, observa o conjunto e compara depois com a eternidade isso que chamamos de idade dos homens. Verás como é pequeno o que queremos ampliar. Pensa, além disso, quanto perdemos desse tempo com lágrimas, ansiedades, desejo de morrer, medos? Quanto perdemos nos anos de ignorância e de inutilidade. A metade ainda se passa dormindo. Junte-se a tudo as fadigas, as penas, os perigos. Compreenderás que mesmo na mais longa vida o que se vive é muito pouco.

Mas quem te confirmará que é mais feliz aquele a quem foi concedido um retorno mais rápido e acabou o seu caminho antes? A vida não é um bem nem um mal; é período de bem e de mal. Assim teu filho nada perdeu. Ele poderia ter conhecido o equilíbrio e a prudência; poderia, sob teus cuidados, formar-se para o melhor, porém o mais certo é temer que poderia ter sido como todos os demais.

Repara naqueles jovens de melhores famílias a quem a luxúria jogou na rua; naqueles que exercem contra os outros a sua libido; nunca terminam o dia sem uma embriaguez ou outra baixeza. Assim, verás que há mais motivo para temor do que para esperança. Não deves, pois, procurar causas para sofrimento, nem aumentar com falta de resignação o que não passou de um pequeno problema. Não te induzo a que faças um esforço e te levantes; não acredito que seja necessário mobilizar toda a tua energia e dignidade contra esse incidente. Isso não é dor, é uma tortura. Tu a convertes em dor. Não há dúvida que de grande proveito te terá sido a filosofia se com ânimo forte deplorares a perda de uma criança mais chegada à sua ama que ao seu pai.

O quê? Agora te aconselho a ser insensível e que, durante as exéquias, teu semblante permaneça impassível e sem aperto no coração? Não, de maneira alguma. Não seria humano, e de nenhuma virtude, acompanhar o enterro dos seus com os mesmos olhos que os via enquanto vivos e não sentir nenhuma emoção a uma primeira separação. Ainda que quisesses vetar tais sentimentos, eles estão entre aquelas coisas que se impõem sem pedir permissão. As lágrimas rolam mesmo dos olhos que as retêm e apaziguam o coração. Que fazer, então? Deixemos que rolem essas lágrimas, mas não as provoquemos; que brotem apenas aquelas que denotem sentimento, não aquelas por conveniência. Não juntemos nada à tristeza nem a aumentemos para imitar os outros. A ostentação da dor é mais exigente que a própria dor. Raros são aqueles que ficam tristes sozinhos. Quando há público, redobram de intensidade os gemidos e, silenciosos e calmos na solidão, em presença de outros sentem necessidade de novos prantos. Nesse momento, tentam arrancar os cabelos, o que poderia ter sido feito mais livremente quando não havia ninguém para impedi-los; dizem querer a morte e debatem-se no leito. Sem espectador, cessa a dor.

Acontece que, como em todas as coisas, também nessas circunstâncias deixamo-nos levar pelo hábito de ter um comportamento esperado pela maioria, passamos a agir não como convém, mas como é costume. Afastamo-nos da natureza e nos lançamos no meio do povo, que nunca é um bom conselheiro e, nessa situação, como em outras, é um modelo de inconstância. Se vê alguém forte em sua dor, chama de desumano e desalmado. Ao contrário, se vê abraçado ao cadáver, declara que é fraco e efeminado. É preciso, em todas as coisas, agir com a razão. E não há coisa mais insensata que glorificar sua tristeza e achar mérito em mostrar suas lágrimas. A meu ver, se o sábio deixa rolar algumas, outras fluem espontaneamente. Vou dizer-te em que são diferentes. Quando a primeira notícia de uma morte sentida nos fulmina bruscamente, quando enlaçamos aquele corpo que em breve passará às chamas, é natural que as lágrimas rolem; e os soluços, impelidos pela dor súbita, sacodem o corpo todo e somos presos de uma emoção que comprime e expulsa todas as lágrimas de nossos olhos. Sob tal pressão, essas lágrimas caem contra nossa vontade. Mas há aquelas que deixamos rolar livremente ao lembrar aqueles que perdemos. Há um quê de doçura nesse tipo de tristeza quando relembramos as conversas, a convivência agradável, a ternura da afeição. Então, nossos olhos relaxam e, de forma espontânea, nos abandonamos a essas lágrimas. Sobre as outras não temos controle.

Não há razão, assim, para reter ou derramar as lágrimas por consideração a quem está à tua volta ou te acompanha; nem reprimir nem soltar é tão deplorável como fingi-las. Que venham quando devem vir. Que corram brandas ou comedidas. Frequentemente, sem perda do prestígio do sábio, correram com tal sobriedade que não lhes faltou dignidade nem humanidade. É possível, repito, obedecer à natureza sem perder a compostura.

Eu tenho visto, em homens respeitáveis, no enterro de seus entes queridos, assomar o amor doloroso em seus rostos sem nenhuma encenação trágica; não fazem concessão nenhuma senão aos sentimentos sinceros. A dor também tem o seu recato, o qual o sábio sabe preservar; como nas demais coisas, também nas lágrimas há uma justa medida. Nos insensatos, dores e gozos são impetuosos.

Recebe com temperança o inevitável. O que te aconteceu de inacreditável e de extraordinário? Quantos, neste mesmo momento, encomendam ofícios fúnebres, para quantos se prepara o enterro, quantos ainda vão chorar depois de teu luto? Em todos os momentos que pensares que ainda era uma criança, pensa, igualmente, que era um ser humano a quem nada mais se prometeu, que o destino não se comprometeu de levá-lo até a velhice; quando achou que era conveniente, fê-lo partir. Por fim, fala dele sempre e celebra a sua memória que voltará repetidamente quanto menos amargor houver. Ninguém, com razão, aprecia a companhia de um homem triste e, sobretudo, da tristeza. Se ouviste com prazer muitas de suas conversas, se admiraste alguns de seus feitos, por mais infantis que fossem, lembra-os seguidamente. Afirma, com segurança, que ele poderia ter realizado todas as esperanças que teu amor paternal havia concebido para ele.

Não é do ser humano esquecer os seus, enterrar suas recordações junto com o corpo, chorá-los copiosamente e lembrá-los minimamente. É assim que os pássaros e as feras amam seus filhos. Seu amor é breve e violento, quase raivoso, mas, assim que os perdem, se extingue completamente. Tal conduta não convém a um homem sábio: que preserve a lembrança, mas que pare de se lamentar.

Eu não aprovo, de forma alguma, a opinião de Metrodoro, segundo a qual existe certo prazer aparente na tristeza e que se deve gozá-lo. Escrevo aqui suas palavras: 'Há uma espécie de prazer no fundo da dor, prazer que é bom experimentar em tais situações'.

Não tenho nenhuma dúvida do que pensas sobre isso. O que há de mais vergonhoso do que saborear o prazer no luto, ou melhor dizendo, graças ao luto, buscando nas lágrimas a volúpia? Esses são os que reprovam nosso rigor excessivo e acusam nossos preceitos de serem desumanos, porque pregamos que a dor não deve ser admitida em nossas almas, ou deve ser logo abandonada. Qual dessas duas coisas pode ser considerada mais inconveniente e insensível: não sentir a dor pela perda de um amigo, ou procurar prazer nessa dor? Nossos preceitos são honrados: quando o sentimento já derramou algumas lágrimas e, assim, aliviou a alma, não é necessário entregar-se à dor. Como assim? Pensas que a dor deve misturar-se ao prazer? É assim que consolamos as crianças, dando-lhes um doce; é assim que paramos o choro de um bebê, dando-lhe o leite. Nem sequer quando teu filho arde na pira, ou teu amigo exala o último suspiro permites que cesse o prazer? O que é mais honesto: arrancar a dor da alma, ou acolher junto a ela o prazer? 'Acolher esta dor', disse eu? Procurá-la, são essas as palavras.

'Existe', segundo Metrodoro, 'uma espécie de voluptuosidade nascida simultaneamente com a tristeza.' Dizer isso é lícito para nós, mas não para ti.* Conheces um só bem, o prazer; um só mal, a dor. Que parentesco pode haver entre o bem e o mal? Ainda que houvesse, seria este o melhor momento para experimentá-lo? Reavivar a dor para ver se traz algum prazer?

Alguns remédios são salutares para alguns órgãos, mas não serão utilizados em outros, e o que em um lugar é benéfico torna-se inconveniente em outro. Não te causa vergonha curar o luto com o prazer? Tal ferida requer um tratamento mais rigoroso. Presta a atenção a isto: o morto não é sensível ao mal, se o fosse, estaria vivo. Nada, repito, pode atingir a quem não existe mais. Se o atinge é porque ele vive. Onde está o mal para ele do teu ponto de vista? Não ser mais ou ser ainda? Ele não é afetado pelo fato de não existir – que sensação tem quem não existe mais – nem o afeta o fato de estar morto, porque estando ficou livre do mal maior da morte que é, justamente, o não ser.

---

* É permitido aos estoicos, não aos epicuristas. (N.T.)

Digamos, pois, ao que chora e sente saudades do filho levado na infância o seguinte: todos, moços ou velhos, no que diz respeito à brevidade da vida, se comparada com a eternidade, estamos em pé de igualdade. O que nos coube da totalidade é menos do que se possa imaginar, porque, em verdade, a menor parte é ainda uma parte, já que a duração de nossa vida é quase nada. E, todavia, (quanta insensatez) buscamos dispor desse tempo sem contá-lo.

Se te escrevi tais coisas, não foi para que recebesses de mim um remédio tardio – já que estou seguro de ter te falado tudo isso que agora lês –, mas para castigar-te daquele breve momento no qual te afastaste de ti mesmo e, ainda, para te estimular, de hoje em diante, a preparar teu espírito contra o destino, para que prevejas seus golpes não como possíveis, mas, com certeza, vindouros." Passa bem!

CI
Da futilidade de planejar o futuro

Sêneca saúda o amigo Lucílio

Cada dia, cada hora mostram-nos o pouco que valemos e qualquer outra importante situação relembra nossa fragilidade esquecida. Nós, que sonhávamos com a eternidade, somos obrigados a encarar a morte.

Perguntas o porquê dessa introdução? Vê bem, conheceste Cornélio Senecião, brilhante cavaleiro romano e homem honrado? Sendo de origem humilde, fez fortuna com esforço próprio e abriu um longo caminho de sucesso. Com certeza, para a ascensão social, são essas premissas que contam.

E, do mesmo modo, o dinheiro chega lentamente onde há pobreza e permanece enquanto dela provém. Da mesma forma, Senecião alcançou a riqueza graças a duas qualidades indispensáveis nesse domínio: a arte de adquirir e a arte de conservar. Tanto uma coisa como outra era suficiente para torná-lo rico.

Esse homem, de uma extrema sobriedade e que administrava da mesma maneira a sua pessoa e fortuna, veio visitar-me pela manhã como de hábito. Passou todo o resto do dia e parte da noite à cabeceira de um amigo enfermo, condenado. Depois de haver jantado alegremente, foi acometido de uma crise aguda de angina e, a custo, sobreviveu até a madrugada. Assim, poucas horas após ter cumprido seu dever de um homem de bem, ele morreu.

Ele, que estava investindo na terra e nos mares, que entrou para a vida pública, que se aventurou em todos os tipos de negócio, estando em plena realização de suas atividades financeiras, foi repentinamente arrancado dessa vida. "Agora, Melibeu, enxerta as pereiras, põe em ordem as videiras".* Que bobagem fazer planos para o futuro quando não sabemos nem do dia seguinte. Que tolice planejar grandes projetos para o futuro. "Eu comprarei, construirei, farei empréstimos, cobranças, ocuparei cargos importantes. Depois, já idoso e cansado, me entregarei ao ócio."

Creia-me, tudo isso é incerto mesmo para os mais felizes. Ninguém deveria fazer promessas para o futuro. Mesmo o que já possuímos pode nos escapar e, nessa hora, que pensamos estar bem, um mal pode nos arrasar. O tempo transcorre segundo leis imutáveis, é certo, mas obscuras. E que me importam as certezas da natureza se eu permaneço na incerteza?

Longas navegações e tardios retornos à pátria ao final de aventuras em lugares estrangeiros, esses são nossos projetos. E o trabalho de soldado e seu esforço tardiamente remunerado, as promoções. Durante esse tempo, a morte está ao nosso lado, mas como não pensamos nela senão com relação a outro, a ideia de nossa mortalidade, passo a passo a nós ensinada, não causa efeito senão enquanto dura a surpresa.

Há tolice maior do que ficar admirado de ver acontecer o que pode ocorrer a qualquer dia? Com certeza, há um limite já fixado para nós pelo destino, mas esse final nenhum de nós sabe enquanto está vivo ou quão próximo está. Preparemos nossa alma, então, como se esse fim estivesse nos atingindo. Não deixemos

---

* Virgílio, *Bucólicas*, I, 73. (N.T.)

nada para mais tarde. Acertemos nossas contas com a vida dia após dia.

O defeito maior da vida é ela não ter nada de completo e acabado, e o fato de sempre deixarmos algo para depois. Aquele que sabe levar sua vida no dia a dia não precisa do tempo. Essa necessidade aparece, bem como o medo do futuro, da fome desse futuro que corrói a alma. Nada é pior do que se indagar a propósito do que está por vir: "Para onde isso vai me levar? Quanto tempo me resta e como será minha vida?" É isso que agita uma mente atemorizada.

Como fugir dessa inquietação? Há apenas uma maneira: não deixando nossa vida na pendência de um futuro incerto, mas que se concentre nela mesma. Em verdade, só se concentram no futuro aqueles que estão insatisfeitos com o presente. Ao contrário, se eu estiver satisfeito com o que tenho, quando a mente souber que não existe diferença entre um dia, a alma visualizará, do alto, o conjunto dos dias e dos acontecimentos que estão por vir e apenas sorrirá. De que maneira a inconstância e a mudança do acaso podem perturbar aquele que permanece estável na instabilidade?

Portanto, meu caro Lucílio, trata de viver cada dia como se fosse uma vida inteira. O homem que está assim preparado, aquele que viveu cada dia de sua vida plenamente, está tranquilo. Contudo, quem vive na esperança do amanhã deixa escapar o presente. Assim, se aproxima de um desejo insaciável acompanhado de um sentimento miserável que torna as coisas mais miseráveis, ou seja, o pavor da morte. Daí o vil desejo de Mecenas, que não recusa as enfermidades, aceita as deformações e ainda ser pregado na cruz, contanto que, através desses sofrimentos, possa continuar a viver:

> Faz de mim um maneta,
> Estropiado de uma perna, reumático
> Coloca em minhas costas uma corcova
> Faz cair meus dentes:
> Enquanto me restar vida, está bem;
> Mesmo na cruz, sobre a estaca, conserva a minha vida.

Isso, se acontecesse, seria o cúmulo da miséria e é esse o desejo dele! Acredita estar pedindo a vida, mas apenas está prolongando um tormento. Já o consideraria bastante desprezível se desejasse viver até ser crucificado, mas ainda diz: "Podem me aleijar, desde que ainda me reste um sopro de vida em meu corpo mutilado e impotente. Deixa-me aleijado e disforme, mas permita que eu viva um pouco mais. Podes até me crucificar e colocar em uma estaca!" Vale a pena aumentar o sofrimento, ficar dependurado com os braços abertos, tudo isso para adiar o que o suplício tem de melhor, o seu fim? Vale a pena conservar a alma para extingui-la no sofrimento? Que se pode desejar a esse homem senão que obtenha a complacência dos deuses?

O que significa esse vergonhoso poema, digno de um covarde? Esse pacto de pavor e loucura? Essa maneira ignóbil de mendigar a vida? Como imaginar que, diante de tal homem, Virgílio tenha lido um dia este verso: "É um mal assim tão grande o fato de morrer?"* Ele deseja os piores suplícios, os mais penosos sofrimentos, deseja ardentemente que se prolonguem, que continuem. O que pode ganhar com isso? Viver um pouco mais? Mas que tipo de vida é essa morte lenta?

---

* Virgílio, *Eneida*, XII, 646. (N.T.)

Vê-se, então, um homem que prefere se afundar em suplícios, que prefere morrer membro a membro e exalar sua vida gota a gota a deixar escapar, de uma vez por todas, seu último suspiro? Vê-se um homem que deseja ser pregado na cruz, que quer ficar muito doente, deformado, sofrendo, com o peito e os ombros feridos, e que ainda quer um sopro de vida em meio a toda essa tortura? Penso que já teria muitos motivos para morrer mesmo antes de ir para a cruz.

Não digas, portanto, que a necessidade de morrer não seja um benefício da natureza. Muitos estão preparados para pactos ainda mais abjetos, até para trair um amigo a fim de conservar a vida, a deixar os filhos na prostituição para desfrutar de uma luz que é testemunha de tantos crimes. Deixemos, pois, de lado a paixão pela vida e saibamos que importa pouco quando sofreremos aquilo que nos está reservado. O que realmente importa é viver bem, e não viver muito. Muitas vezes, o melhor é que a vida não dure muito tempo. Passa bem!

CIV
Da eternidade da alma

Sêneca saúda o amigo Lucílio

Ensina, tu, com razão, a elevar o pensamento para a imensidão. Uma coisa muito grande e generosa é a alma humana. Ela não tolera mais limites do que aqueles que são comuns à divindade. Por princípio, não aceita uma pátria no sentido restrito do termo, Éfeso ou Alexandria, ou qualquer outro lugar, caso exista, de maior população ou maiores construções. Sua pátria compreende tudo o que é rodeado pelo universo até os confins mais distantes, é tudo o que se encontra sob a abóbada celeste, os mares e as terras, onde o ar separa e une ao mesmo tempo o mundo dos deuses e dos homens, onde as divindades, cada uma em seu posto, cumprem uma missão específica.

Além disso, não permite que restrinjam a sua duração. "Todos os anos são meus", diz ela, "não existe época proibida aos grandes espíritos; não há idade inalcançável ao pensamento. Quando surgir o dia em que se dividirá o que é humano e divino, este corpo ficará ali mesmo onde foi encontrado e me reunirei aos deuses. Mesmo agora não estou longe deles; apenas ainda sou detida pela existência terrestre."

Tais esperas da vida mortal são apenas um prelúdio para uma outra existência, melhor e mais durável. Da mesma forma como durante nove meses somos abrigados e preparados pelo ventre materno não para si, mas para onde deve nos lançar quando já somos capazes de respirar e viver ao ar livre, assim, durante esse período que vai da infância à velhice, amadurecemos para um outro nascimento.

Um outro nascimento nos aguarda, uma outra ordem das coisas. Ainda não podemos suportar o céu senão de longe, por isso prevê com coragem a hora decisiva não para a alma, mas para o corpo. A tudo que te rodeia, olha como móveis em um quarto de hospedaria, pois estás de passagem. A natureza despoja tanto quem entra quanto quem sai.

Não te é permitido levar mais do que tens, e até o que trouxeste para a vida ao nascer aqui deverá ser deixado. Perderás a pele, o mais superficial de teus envoltórios; perderás a carne e o sangue que corre pelo teu corpo; perderás os ossos e os nervos, aquilo que sustenta as partes informes e flácidas de teu corpo.

Esse dia que temes como o último será o de teu nascimento para a eternidade. Deposita o teu fardo. Por que hesitas, como se já não estivesses fora de um corpo no qual estavas escondido? Hesitas, resistes. Também foste expulso com grande força do corpo de tua mãe. Gemes, choras como quando nasceste. O choro é próprio daquele que nasce, mas, na época, eras inexperiente e ignorante, podias ser perdoado. Ao saíres do aconchegante esconderijo do ventre materno, um ar fresco soprou sobre ti, depois sentiste o contato de uma mão rude e, ainda tenro e inexperiente, sentiste o estupor do desconhecido.

Agora, já não é novidade para ti apartar-te daquilo de que antes fazias parte. Abandona com serenidade estes membros que já não te servem mais e deixa este corpo que por tanto tempo habitaste. Ele será destruído, vai sumir, acabará. Por que ficas triste? É assim, também se tira a membrana que recobre o recém-nascido. Por que te apegas tanto a estas coisas como se tuas fossem? Apenas estás coberto por elas. Dia virá em que elas serão tiradas e, então, estarás liberto desse ventre repugnante e infecto.

Desde já, te desfaz desse invólucro e, livre de tudo o que te prende e que não é necessário, pensa, desde agora, em planos mais altos e mais sublimes. Um dia, os segredos da natureza te serão revelados, a névoa que te encobre será retirada e serás iluminado por uma brilhante luz. Imagina o fulgor das luzes de inúmeros astros juntas em um único feixe. Nenhuma sombra abalará tal serenidade. O céu resplandecerá como um todo. O dia e a noite só ocorrem em nossa inferior atmosfera. Então, poderás dizer que viveste nas trevas, quando, em toda a plenitude, puderes contemplar a totalidade da luz que agora apenas espreitas pelas frestas de teus olhos. O que dizer quando perceberes que isso que agora te encanta nem de longe se equivale à luz divina que vais contemplar em lugar desta?

Tal pensamento não permite que deposites no fundo de tua alma nenhuma baixeza ou crueldade. Ele nos faz perceber que os deuses são testemunhas de tudo. Faz com que possamos merecer a sua aprovação, prepara-nos para a sua presença futura e para que não percamos de vista a eternidade. Aquele que firmou em sua alma esse propósito não teme nenhum exército, nenhuma ameaça o deixa inquieto. Quem espera a morte nada teme.

Até mesmo aquele que pensa que a alma só existe enquanto presa ao corpo e que, quando este se dissolve, ela se esvai junto faz tudo para ser útil mesmo após a morte. E isso ocorre porque, ainda que tenha sido tirado da vista de todos, "a grande virtude do varão e a grande honra de sua raça continuam a viver em nosso espírito".* Pensa no quanto nos são úteis os bons exemplos e saberás que igualmente úteis são a presença e a memória dos grandes homens. Passa bem!

---

* Virgílio, *Eneida*, IV, 3-4. (N.T.)

CIV
Dos cuidados com a saúde e com a paz de espírito

Sêneca saúda o amigo Lucílio

Adivinhas do que fugi para a minha propriedade em Nomento? Da cidade? Em verdade, da febre que me atacou de repente. O médico falava que a doença já estava instalada, meu pulso agitado e fora da batida normal. Dessa forma, rapidamente mandei preparar a carruagem. É verdade que a minha Paulina queria me impedir. Eu, no entanto, dizia para mim mesmo o ditado de Galião que, ao ser atacado por uma febre em Acaia, logo embarcou, repetindo em voz alta que o mal não vinha dele, e sim daquele lugar mórbido.

Isso eu explicava para minha Paulina, sempre atenta à minha saúde. Como sei que sua vida depende da minha, para que possa cuidar dela, cuido antes de mim. Embora a velhice tenha me tornado mais forte para muitas coisas, estou perdendo este privilégio que nos traz a idade, pois lembro que existe neste velho um jovem, que é protegido. E, já que é impossível fazer com que ela me ame mais, ela consegue fazer com que eu ame a mim mesmo com mais cuidados.

É preciso, efetivamente, ser indulgente com os verdadeiros afetos e, quando as fraquezas físicas aparecem, é necessário, por deferência aos seus, passar pelos mais cruéis sofrimentos, chamar a si a vida, às vezes, com grande tormento, reter em si o sopro da vida, uma vez que o homem de bem é obrigado a viver não o tempo que lhe apraz, mas, sim, o tempo que é o seu dever. Aquele que não crê que deve permanecer vivo pela esposa, pelo amigo, e se entrega à morte é um fraco. Entre os deveres da alma está manter-se vivo quando está envolvido o interesse dos seus.

Ela queria ir-se, chegou até a ameaçar morrer, mas não faz isso, se rende às pessoas a quem ama. É merecedor de uma alma generosa retornar à vida por afeto a um outro, assim como fizeram grandes homens. A perfeição humana atinge, penso, a total perfeição quando, ao renunciar ao privilégio da velhice, que é o de tornar-se mais negligente no trato pessoal, se atém à sua preservação, se estamos certos que tal conduta é cara, propícia e mesmo desejada aos seus.

Assim, tal coisa proporciona muita alegria, pois há algo mais agradável do que se sentir tão amado pela esposa a ponto de desejar ser mais cuidadoso consigo mesmo? Por isso, a minha querida Paulina pode me atribuir não apenas os temores delas, mas, sobretudo, os meus.

Desejas saber o que ganhei ao decidir a minha partida? Logo que deixei o ar poluído de Roma e o cheiro das cozinhas enfumaçadas que, quando a todo vapor, derramam, além da poeira, toda a gama de vapores doentios, logo senti estar melhorando. Senti-me mais forte ainda ao chegar aos meus vinhedos! No bosque, encontrei o meu alimento. Logo me recuperei e desapareceu aquela fraqueza que determinava os meus pensamentos. Recomeço a trabalhar cheio de ânimo.

A influência deste lugar não ajuda muito para esse efeito; é necessário que a alma esteja de posse total de si. Mesmo no centro do maior tumulto, ela pode, se quiser, criar para si solidão. No entanto, se com frequência escolhe lugares especiais e o ócio, em qualquer lugar encontrará alguma coisa que a perturbe. Para aquele, segundo dizem, que reclamou a Sócrates não conseguir aproveitar as suas viagens, o sábio replicou ser o ocorrido natural, uma vez que aquele se levava sempre consigo.

Oh, como seria maravilhoso a alguns se conseguissem sair de si e não apenas dos lugares! O certo é que forçam, solicitam, corrompem e amedrontam a si próprios. De que adianta atravessar o mar, mudar de cidade? Como livrar-te dos males que te acometem, indagas. Convém visitar outros lugares? Não; ser um outro eu. Imagina que estejas em Atenas, em Rodes. Elege livremente outra cidade qualquer. De que maneira te atingirão os costumes daquele lugar? Tu carregas os teus.

Julgas que as riquezas são um bem; a pobreza irá então te perturbar e, o que é mais grave, será apenas uma pobreza imaginária. Assim, toda a riqueza que tens se apresentará pequena se achares alguém mais rico, te sentindo em débito com relação ao que possui mais do que tu. Julgas um bem as honrarias; assim te causará mal-estar a eleição de um ou a reeleição de outro ao consulado. Sentirás inveja ainda que um mesmo nome poucas vezes se faça presente nas festas. Tamanho será o furor da ambição se imaginares sempre alguém à tua frente e nunca atrás de ti.

O pior dos males, para ti, é a morte, embora nada seja pior do que aquilo que a precede, ou seja, o temor. Tremerás diante do perigo e te agitarás em vão. Assim, de que adiantará "ter escapado de tantas cidades Argólicas e ter conseguido fugir através das forças inimigas?"*

---

* Virgílio. *Eneida*, 282. (N.T.)

Mesmo a paz te causará temor. Uma mente perturbada não confiará nem mesmo nos fatos mais óbvios, pois o sentimento incontrolável do medo, que ela sempre sofre, acaba por torná-la totalmente insegura. Não evita o perigo, simplesmente foge dele; no entanto, dando as costas ao perigo estamos mais expostos a ele.

Não há maior desconforto, para ti, do que a perda daqueles que te são caros; porém, isso é tão absurdo quanto chorar pela queda das folhas das árvores de tua casa. A todos que te alegram, considera como as árvores que verdejam, deles desfrutando. "Mas hoje um, amanhã outro, todos cairão!" Da mesma forma que facilmente ficas resignado com a queda das folhas, porque elas renascerão, assim deves considerar a perda dos que amas e que vês como a felicidade de tua vida, já que poderão ser substituídos, embora não possam renascer.

"Mas não serão mais as mesmas!" E, por acaso, tu serás o mesmo? Todos os dias, todas as horas te modificam. Na verdade, o que é roubado do outro de forma clara te escapa porque esse roubo ocorre de forma secreta. Os outros são roubados abertamente; nós, às ocultas. Tu, no entanto, não conseguirás refletir dessa maneira, nem colocarás remédio nas feridas; criarás dificuldades, seja esperando, seja perdendo. Se fores sábio em meio a toda essa confusão criada por ti, ameniza uma coisa com outra: não esperarás sem desespero, nem desesperarás sem esperança.

Que benefício pode trazer uma viagem a quem quer que seja? Jamais controlou prazeres, conteve paixões, reprimiu impulso de raiva, refreou ímpetos amorosos, nunca livrou a alma de qualquer um de seus males. Uma viagem jamais emitiu um julgamento ou desfez um erro. Seu efeito se iguala ao que uma criança sente quando se depara com o desconhecido, ou seja, diverte por um breve tempo enquanto é novidade.

De tudo, o espírito, que já é inconstante, é ainda mais atingido pelo mal; a agitação faz aumentar a sua necessidade de se mover por causa de sua instabilidade. Os lugares por onde se espalha com grande ardor logo são deixados de lado, assim como aquelas aves migratórias que retomam o seu rumo e voltam mais apressadas do que chegaram.

A viagem te dará o conhecimento dos povos, te fará observar diferentes formas de montanhas, locais que não são visitados pelos comuns, vales cavados por fontes incessantes, alguns rios que oferecem espetáculos naturais, assim como o Nilo, com seu fluxo e refluxo no verão; assim como o Eufrates, que some por completo para ficar sob a terra e ali traçar o seu curso invisível e dali aparecer em grande correnteza; também como o Meandro, tema eterno dos poetas, que mistura suas curvas e, muitas vezes, perto de seu leito, curva-se, mais uma vez, antes de se fazer presente. No que diz respeito às demais coisas, a viagem não te fará melhor nem mais racional.

O campo de toda a atividade deve ser o estudo, e no meio dos sábios, para relembrar as verdades adquiridas e para descobrir novas. Assim, é dever retirar a alma de sua terrível escravidão, libertá-la. Enquanto ignorares o que deve ser evitado e deve ser procurado, o que é imprescindível e o que é supérfluo, o que é justo e o que é injusto, o que é honesto e o que não é honesto, jamais viajarás, serás apenas um errante.

Tua busca por aventuras de nada te será útil, pois viajas junto com tuas paixões, teu mal vai junto. Pudesse ele não te seguir! Menos perto de ti ficariam tuas paixões, mas as levas contigo, as tens junto a ti. Dessa maneira, qualquer lugar te é incômodo; em todo lugar, em virtude da tua pouca disposição, elas te perturbam. Não é algo agradável à vista, mas um remédio necessário ao doente.

Se alguém quebrou ou torceu a perna e não pode andar de carro ou barco, chama o médico para endireitar a fratura ou o músculo torcido. Mas e essa alma, quebrada e deslocada em tantos lugares, acreditas que as mudanças de lugar poderão recuperá-la? O ferimento é muito grave para ser curado apenas com uma mudança de lugar.

A viagem não cria um médico nem um orador; não se consegue aprender nenhuma arte apenas porque estamos em determinado lugar. Então, a mais importante de todas as artes, a sabedoria, pode ser obtida em uma viagem? Nenhuma viagem, acredita, pode defender-te de tuas paixões, raivas, medos. Se fosse possível, toda a humanidade passaria em fila por ali. Tais males estarão junto a ti e te acompanharão por terras e mares enquanto estiveres carregando suas causas.

Ficas espantado por fugir em vão? Aquilo do que estás tentando te livrar está sempre junto a ti. Começa, portanto, a te corrigir, a livrar-te desse fardo. Põe um limite respeitável nesses desejos que devem ser eliminados. De tua alma retira toda a maldade. Se queres viagens agradáveis, cura aquilo que te acompanha. Se conviveres com os avarentos, a avareza te seguirá; se conviveres com os soberbos, o orgulho te seguirá. Teu mal jamais te abandonará se continuares frequentando os ambientes nocivos, e a amizade com os adúlteros aumentará o fogo da licenciosidade que há em ti.

Se queres te livrar desses vícios, é preciso livrarte dos exemplos perniciosos. O avarento, o corrupto, o cruel e o velhaco fazem mal se estão próximos de ti, se estão em ti mesmo. Transita entre os melhores, com os Catões, com Lélio, com Tuberão. Se achares melhor, procura a companhia dos gregos, de Sócrates, de Zenão: um te ensinará a morrer quando se fizer necessário; outro, a morrer antes que seja preciso.

Vive com Crisipo, com Posidônio, que te levarão ao conhecimento do divino e do humano, te mostrarão como agir, a ser não apenas um sagaz orador, espalhando frases para o encanto dos ouvintes, mas sim ensinarão como revigorar a alma e proteger-se contra as ameaças. O único porto seguro nesta vida agitada e violenta é desprezar tudo o que acontece, manter-se firme em seus propósitos, receber de forma madura os golpes da sorte sem se perturbar ou se esquivar.

A natureza nos deu o dom da magnanimidade e, assim como deu a alguns animais a ferocidade, a outros a astúcia e a outros mais o medo, deu-nos um espírito ilustre e elevado que nos estimula a procurar, em lugar de uma vida segura, uma vida honesta, semelhante à alma do universo que deve ser seguida e imitada tanto quanto possível pelos mortais. Ele, ao se expor, confia ao ser exigido e provocado.

Como senhor de todas as coisas, está acima de tudo. Assim, nenhuma atitude de subordinação lhe é permitida; nenhuma força pesará sobre si e fará abater um coração viril. "Formas terríveis de se ver, a morte e o sofrimento!"*; assim não seriam se fôssemos capazes de encará-las firmemente e revelar as trevas; à luz do dia, tornam-se risíveis aquelas coisas que nos atormentam durante a noite. "Formas terríveis de se ver, a morte e o sofrimento!" Nosso caro Virgílio não afirmou que são

---

* Virgílio, *Eneida*, VI, 277. (N.T.)

terríveis em si, mas sim terríveis de se ver, ou seja, o são apenas na aparência e não na realidade.

O que há nelas, pergunto, de tão terrível para ser difundido pela plebe? Diga-me, então, meu caro Lucílio, por que razão um homem digno de assim ser chamado teme o sofrimento, e um mortal, a morte? Encontro seguidamente pessoas que acham impossível fazer aquilo para o qual se julgam incapazes e afirmam que nossos preceitos ultrapassam a capacidade humana.

Ah, tenho deles uma opinião melhor, pois podem tanto quanto os outros, apenas não tentam realizar. Enfim, quem não conseguiu após tentar? Quem não achou mais fácil na hora de cumprir a tarefa? As dificuldades não são a causa de nossa falta de audácia; é nossa falta de audácia que cria a dificuldade.

Se desejas um exemplo, dou-te o de Sócrates, um velho de grande resistência, perseguido por todas as dificuldades e, no entanto, invencível, seja pela pobreza, cujo fardo familiar tornava mais pesado, seja pelos rigores da guerra e mesmo pelos domésticos. Sua mulher? Uma megera de língua viperina. Seus filhos? Resistentes a todo ensinamento, mais parecidos com a mãe do que com o pai. Eis aqui um pouco de sua vida: uma guerra, uma tirania e uma liberdade mais cruel do que ambas.

Os combates duraram vinte e sete anos; terminadas as hostilidades, a cidade ateniense foi entregue a trinta tiranos, a maior parte deles inimigos do filósofo. O golpe final foi sua condenação, seguida de um processo no qual pesaram sobre ele sérias acusações graves. Acusavam-no de violar a religião, de corromper a juventude, levando-os a atingir os deuses, os pais de família e a República. Por fim, a prisão, o veneno. Tudo isso perturbava muito pouco a alma de Sócrates, tanto que seu semblante permanecia impassível. Percebe que elogio admirável e único! Até o seu fim, ninguém viu Sócrates mais alegre ou mais triste. Ele permaneceu constante frente a um destino tão inconstante.

Queres um outro exemplo? Eis um mais recente, o de Catão, o Jovem, contra o qual o destino se mostrou mais terrível e violento. Porém, resistiu a tudo sempre e, próximo da morte, demonstrou que um homem de coragem, embora perseguido pelo destino, sabe tanto viver como morrer. Toda a sua vida se desenrolou durante as guerras civis, ou em um período em que tais guerras já estavam iniciando. Dele pode-se dizer, assim como de Sócrates, que manteve a liberdade na escravidão, a menos que julgues que Pompeu e Crasso fossem aliados na defesa da liberdade.

Ninguém viu Catão mudar enquanto a República passava por alterações constantes. Ele se conservou o mesmo em todos os atos: como pretor, quando expulso do cargo; como acusador, na província, diante da plebe; no exército, diante da morte. Resumindo, na crise pela qual a República passava, de um lado César, com o apoio de dez legiões, com as melhores tropas e com o apoio estrangeiro; de outro, Pompeu, totalmente só, mas forte o suficiente para encarar o que viesse. Enquanto alguns se voltavam para César e outros para Pompeu, Catão, sozinho, forma um partido – aquele da República.

Desejas imaginar esta época como um quadro? Verás, então, de um lado a plebe e as massas populares prontas para a revolta; de outro, a aristocracia e a ordem dos cavaleiros – tudo o que havia de honrado e distinto – e, entre eles, os dois isolados: a República e Catão. Grande será a tua admiração ao ver "Agamênon e Príamo, e Aquiles furioso com ambos".* Assim como Aquiles, ele condena a ambos e procura desarmá-los.

Eis o julgamento que ele fazia dos dois: se César vencer, o caminho será a morte; se for Pompeu o vitorioso, o exílio. O que tinha ele a temer se, vencendo ou sendo vencido, ele infligia a si os castigos de inimigos mais implacáveis? Dessa forma, por seu próprio decreto, morreu.

Como vês, é possível suportar as piores fadigas. Ele conduziu a pé suas tropas pelos desertos da África. Podes ver que é possível suportar a sede, pois, sobre colinas ardentes, sem comboio, trazendo restos de um exército vencido, sofreu a falta de água, sempre sob sua couraça, e, quando achavam o que beber, sempre era o último a fazê-lo. Como podes perceber, é possível desprezar o poder e as ofensas. No dia em que fracassou na sua eleição, foi jogar péla na praça dos comícios. Pode-se deixar de temer os poderosos: ele provocou César e Pompeu ao mesmo tempo, em uma época na qual ninguém ousava desagradar a um a não ser que estivesse buscando os favores de outro. Como vês, podem-se desprezar a morte e o exílio. Ele se impôs o exílio, a morte e, entre os dois, a guerra.

Podemos, então, demonstrar a mesma coragem contra as adversidades; basta ficarmos livres do jugo. Mas, antes de tudo, devemos abandonar os prazeres, aqueles que nos enfraquecem e nos levam a exigir demais do destino. A seguir, deixemos de lado a riqueza que nos escraviza, larguemos o ouro, a prata e tudo o mais que cobre as casas dos que se dizem felizes. A liberdade não nos é dada de graça. Se realmente a queres, o resto deve contar pouco. Passa bem!

---

* Referência à *Ilíada*, de Homero. (N.T.)

CXIX
Dos benefícios da natureza

Sêneca saúda o amigo Lucílio

Cada vez que faço uma descoberta, não espero que me digas: "é nossa"; eu mesmo o digo. Indagas qual foi a descoberta? Abre a bolsa, é uma situação de muito lucro. Vou ensinar-te como ficar rico de forma rápida. Ficaste interessado! Não é para menos: vou, rapidamente, conduzir-te às supremas riquezas. Será necessário, no entanto, que tenhas um fiador. Para que faças o negócio, precisarás de um empréstimo, mas não quero que chegues a isso através de um intermediário, nem que as tuas dívidas sejam alardeadas pelos agiotas.

Tenho pronto para ti um credor, aquele que Catão recomenda, ou seja, toma emprestado de ti próprio. Por menos que seja, suficiente será se aquilo de que necessitamos for pedido a nós mesmos. Não há, com certeza, nenhuma diferença, Lucílio, entre não desejar e possuir. Nos dois casos, o resultado é idêntico, isto é, não há sofrimento. Também não te recomendo que negues algo à natureza – ela é contumaz, não pode ser vencida e reclama o que lhe pertence – , mas que saibas que o excedente na natureza, longe de ser indispensável, apenas está a nosso dispor como algo a mais, não imprescindível.

Tenho fome: é preciso comer. Seja o pão feito com trigo de qualidade ou não, isso não importa. O que a natureza quer não é o deleite, e sim o estômago satisfeito. Tenho sede: que a água seja do reservatório mais próximo, ou seja aquela colocada entre blocos de neve para refrescar não interessa à natureza. O importante é matar a sede, esteja a água em copo de ouro, de cristal, de mirra*, de Tíbur ou na concha da mão.

Em tudo, leva em conta a finalidade das coisas, deixando de lado, portanto, o supérfluo. A fome castiga-me, pego o que está mais à mão; ela própria dará sabor ao que eu colher. O faminto não se ofende com nada.

Queres saber o que me causou prazer? Um dito que considero admirável: "O sábio é um pesquisador incansável das coisas naturais". Fico a imaginar tua resposta: "Tu me presenteias com um prato vazio. O que isso quer dizer? Já estava pronto a abrir os cofres; já imaginava em que mares iria negociar; que impostos me beneficiariam; que mercadorias poderia exportar. É decepcionante: pregar a pobreza depois de haver prometido imensas riquezas!" Então, crês pobre aquele a quem nada falta? "Isso ele deve", dizes tu, "a si próprio e à sua paciência, não à sorte." Assim, não acreditas que ele seja rico apenas porque suas riquezas não podem acabar?

O que preferes: ter muito ou ter apenas o suficiente? Aquele que tem muito deseja ter mais, o que prova não ser suficiente o que já possui. Aquele que possui o suficiente obteve o que o rico jamais poderá atingir, ou seja, o fim de seus desejos. Não julgas isso riqueza porque jamais alguém foi condenado por tal? Porque ninguém foi envenenado pelo filho ou pela esposa? Por que é tudo, na guerra e na paz, a tranquilidade? Porque não traz perigo nem dá trabalho para administrar?

"Porém, é bem pouco não conhecer o frio, a fome ou a sede." Júpiter mais não tem. Jamais é pouco o su-

---
* Material natural e de custo irrisório. (N.T.)

ficiente, jamais é muito o que não satisfaz. Alexandre, após vencer Dario e os persas, continua pobre. Estou enganado? Continua a buscar novas conquistas, a aventurar-se por mares desconhecidos, a enviar ao oceano frotas nunca vistas, pode-se dizer, a romper todas as fronteiras. Aquilo que é suficiente para a natureza não o é para esse homem!

Encontrou-se alguém que desejou mais após ter tudo – tão grande é a cegueira das mentes e o esquecimento que cada um tem de suas origens quando começa a enriquecer. Este homem, que há pouco era senhor de um pequeno território e ainda não reconhecido, ao atingir os confins da terra, se entristece por ser obrigado a voltar através de um mundo que já lhe pertence.

O dinheiro nunca tornou alguém rico; ao contrário, sempre causou mais cobiça. Queres saber por quê? É porque quem mais tem mais quer ter. Em resumo, traz até mim um homem que consideres do mesmo nível de um Crasso ou de um Licínio; pede que mostre seus livros de contabilidade, que conte tudo o que possui e ainda espera possuir. Este, na minha opinião, é um homem pobre; na tua, quem sabe, poderá vir a ser.

Mas aquele que se sujeitou às exigências da natureza está livre da sensação de pobreza e, além disso, não a teme. No entanto, para que saibas como é difícil restringir os próprios bens ao mínimo indispensável, esse a quem impusemos uma série de limitações, e a quem chamas de pobre, esse homem possui algo de sobra.

As riquezas, porém, deslumbram o povo, e uma casa é sempre atraída pelos olhares quando gasta muito ou é coberta, do chão ao teto, de muito ouro, ou, ainda, se depende de um grande número de escravos elegantes e bem-apresentados. A felicidade está, assim, posta às vistas do público; contudo, aquele a quem privamos do olhar do povo e do poder da fortuna possui a riqueza interior.

Na verdade, para aqueles a quem uma pobreza laboriosa recebe o nome de riqueza, esses têm a riqueza tal como dizemos que alguém tem febre, quando é a febre que nos tem. Pode-se dizer então, de forma inversa, "a febre apoderou-se dele". Da mesma maneira, deve-se dizer "as riquezas apoderaram-se dele". Eu tenho apenas um conselho a te dar (e que nunca repetirei o suficiente): avalia todas as coisas pelos desejos naturais, aqueles que podem ser satisfeitos de graça ou por pouco preço; jamais confunde os vícios com os desejos.

Desejas saber em que mesa, em que prataria te será servida a refeição, se os escravos estarão bem-apresentáveis? À natureza nada mais importa do que o alimento. "Quando a sede te queima a garganta, pedes taça de ouro? E, quando tens fome, rejeitas tudo o que não seja pavão ou linguado?"*

A fome não é pretensiosa, ela quer apenas ser aplacada, não importando com o quê. Esses luxos são preocupações dos glutões, ou seja, como voltarão a se esfomear depois de estarem fartos; como voltarão a inchar a barriga mais do que enchê-la; como voltarão a provocar a sede após ter sido saciada com a primeira bebida. Horácio diz, de forma primorosa, que, para a sede, não importa o copo ou a elegância da mão que a sacia. Em verdade, se te interessa a cabeleira daquele que vai te servir, ou o brilho da taça que te é oferecida, não estás com sede.

Dentre outros benefícios, a natureza dotou-nos do principal, qual seja, livrar o fastio da necessidade.

---

* Referência a versos de Horácio em *Sátiras*, I, 2, 114-116. (N.T.)

O supérfluo admite opção: "Isto é pouco conveniente; aquilo não merece ser celebrado; este outro me fere os olhos." O criador, ao ditar as leis da vida, desejou que mantivéssemos a opção para a nossa sobrevivência, e não para nos corromper. No primeiro caso, tudo estará à mão e de modo fácil; no segundo, as benesses serão obtidas à custa de sofrimento e de trabalho intenso.

Façamos uso, então, desse benefício da natureza, considerado como o melhor, e não esqueçamos que, se ela merece nosso reconhecimento, é, antes de tudo, porque nos permite consumir sem dificuldade aquilo que a necessidade nos faz desejar. Passa bem!

Coleção L&PM POCKET
ÚLTIMOS LANÇAMENTOS

1000. **Diários de Andy Warhol (1)** – Editado por Pat Hackett
1001. **Diários de Andy Warhol (2)** – Editado por Pat Hackett
1002. **Cartier-Bresson: o olhar do século** – Pierre Assouline
1003. **As melhores histórias da mitologia: vol. 1** – A.S. Franchini e Carmen Seganfredo
1004. **As melhores histórias da mitologia: vol. 2** – A.S. Franchini e Carmen Seganfredo
1005. **Assassinato no beco** – Agatha Christie
1006. **Convite para um homicídio** – Agatha Christie
1008. **História da vida** – Michael J. Benton
1009. **Jung** – Anthony Stevens
1010. **Arsène Lupin, ladrão de casaca** – Maurice Leblanc
1011. **Dublinenses** – James Joyce
1012. **120 tirinhas da Turma da Mônica** – Mauricio de Sousa
1013. **Antologia poética** – Fernando Pessoa
1014. **A aventura de um cliente ilustre *seguido de* O último adeus de Sherlock Holmes** – Sir Arthur Conan Doyle
1015. **Cenas de Nova York** – Jack Kerouac
1016. **A corista** – Anton Tchékhov
1017. **O diabo** – Leon Tolstói
1018. **Fábulas chinesas** – Sérgio Capparelli e Márcia Schmaltz
1019. **O gato do Brasil** – Sir Arthur Conan Doyle
1020. **Missa do galo** – Machado de Assis
1021. **O mistério de Marie Rogêt** – Edgar Allan Poe
1022. **A mulher mais linda da cidade** – Bukowski
1023. **O retrato** – Nicolai Gogol
1024. **O conflito** – Agatha Christie
1025. **Os primeiros casos de Poirot** – Agatha Christie
1027(25). **Beethoven** – Bernard Fauconnier
1028. **Platão** – Julia Annas
1029. **Cleo e Daniel** – Roberto Freire
1030. **Til** – José de Alencar
1031. **Viagens na minha terra** – Almeida Garrett
1032. **Profissões para mulheres e outros artigos feministas** – Virginia Woolf
1033. **Mrs. Dalloway** – Virginia Woolf
1034. **O cão da morte** – Agatha Christie
1035. **Tragédia em três atos** – Agatha Christie
1037. **O fantasma da Ópera** – Gaston Leroux
1038. **Evolução** – Brian e Deborah Charlesworth
1039. **Medida por medida** – Shakespeare
1040. **Razão e sentimento** – Jane Austen
1041. **A obra-prima ignorada *seguido de* Um episódio durante o Terror** – Balzac
1042. **A fugitiva** – Anaïs Nin
1043. **As grandes histórias da mitologia greco-romana** – A. S. Franchini
1044. **O corno de si mesmo & outras historietas** – Marquês de Sade
1045. **Da felicidade *seguido de* Da vida retirada** – Sêneca
1046. **O horror em Red Hook e outras histórias** – H. P. Lovecraft
1047. **Noite em claro** – Martha Medeiros
1048. **Poemas clássicos chineses** – Li Bai, Du Fu e Wang Wei
1049. **A terceira moça** – Agatha Christie
1050. **Um destino ignorado** – Agatha Christie
1051(26). **Buda** – Sophie Royer
1052. **Guerra Fria** – Robert J. McMahon
1053. **Simons's Cat: as aventuras de um gato travesso e comilão – vol. 1** – Simon Tofield
1054. **Simons's Cat: as aventuras de um gato travesso e comilão – vol. 2** – Simon Tofield
1055. **Só as mulheres e as baratas sobreviverão** – Claudia Tajes
1057. **Pré-história** – Chris Gosden
1058. **Pintou sujeira!** – Mauricio de Sousa
1059. **Contos de Mamãe Gansa** – Charles Perrault
1060. **A interpretação dos sonhos: vol. 1** – Freud
1061. **A interpretação dos sonhos: vol. 2** – Freud
1062. **Frufru Rataplã Dolores** – Dalton Trevisan
1063. **As melhores histórias da mitologia egípcia** – Carmem Seganfredo e A.S. Franchini
1064. **Infância. Adolescência. Juventude** – Tolstói
1065. **As consolações da filosofia** – Alain de Botton
1066. **Diários de Jack Kerouac – 1947-1954**
1067. **Revolução Francesa – vol. 1** – Max Gallo
1068. **Revolução Francesa – vol. 2** – Max Gallo
1069. **O detetive Parker Pyne** – Agatha Christie
1070. **Memórias do esquecimento** – Flávio Tavares
1071. **Drogas** – Leslie Iversen
1072. **Manual de ecologia (vol.2)** – J. Lutzenberger
1073. **Como andar no labirinto** – Affonso Romano de Sant'Anna
1074. **A orquídea e o serial killer** – Juremir Machado da Silva
1075. **Amor nos tempos de fúria** – Lawrence Ferlinghetti
1076. **A aventura do pudim de Natal** – Agatha Christie
1078. **Amores que matam** – Patricia Faur
1079. **Histórias de pescador** – Mauricio de Sousa
1080. **Pedaços de um caderno manchado de vinho** – Bukowski
1081. **A ferro e fogo: tempo de solidão (vol.1)** – Josué Guimarães
1082. **A ferro e fogo: tempo de guerra (vol.2)** – Josué Guimarães
1084(17). **Desembarcando o Alzheimer** – Dr. Fernando Lucchese e Dra. Ana Hartmann
1085. **A maldição do espelho** – Agatha Christie
1086. **Uma breve história da filosofia** – Nigel Warburton
1088. **Heróis da História** – Will Durant
1089. **Concerto campestre** – L. A. de Assis Brasil
1090. **Morte nas nuvens** – Agatha Christie
1092. **Aventura em Bagdá** – Agatha Christie
1093. **O cavalo amarelo** – Agatha Christie
1094. **O método de interpretação dos sonhos** – Freud

1095. **Sonetos de amor e desamor** – Vários
1096. **120 tirinhas do Dilbert** – Scott Adams
1097. **200 fábulas de Esopo**
1098. **O curioso caso de Benjamin Button** – F. Scott Fitzgerald
1099. **Piadas para sempre: uma antologia para morrer de rir** – Visconde da Casa Verde
1100. **Hamlet (Mangá)** – Shakespeare
1101. **A arte da guerra (Mangá)** – Sun Tzu
1104. **As melhores histórias da Bíblia (vol.1)** – A. S. Franchini e Carmen Seganfredo
1105. **As melhores histórias da Bíblia (vol.2)** – A. S. Franchini e Carmen Seganfredo
1106. **Psicologia das massas e análise do eu** – Freud
1107. **Guerra Civil Espanhola** – Helen Graham
1108. **A autoestrada do sul e outras histórias** – Julio Cortázar
1109. **O mistério dos sete relógios** – Agatha Christie
1110. **Peanuts: Ninguém gosta de mim... (amor)** – Charles Schulz
1111. **Cadê o bolo?** – Mauricio de Sousa
1112. **O filósofo ignorante** – Voltaire
1113. **Totem e tabu** – Freud
1114. **Filosofia pré-socrática** – Catherine Osborne
1115. **Desejo de status** – Alain de Botton
1118. **Passageiro para Frankfurt** – Agatha Christie
1120. **Kill All Enemies** – Melvin Burgess
1121. **A morte da sra. McGinty** – Agatha Christie
1122. **Revolução Russa** – S. A. Smith
1123. **Até você, Capitu?** – Dalton Trevisan
1124. **O grande Gatsby (Mangá)** – F. S. Fitzgerald
1125. **Assim falou Zaratustra (Mangá)** – Nietzsche
1126. **Peanuts: É para isso que servem os amigos (amizade)** – Charles Schulz
1127.(27).**Nietzsche** – Dorian Astor
1128. **Bidu: Hora do banho** – Mauricio de Sousa
1129. **O melhor do Macanudo Taurino** – Santiago
1130. **Radicci 30 anos** – Iotti
1131. **Show de sabores** – J.A. Pinheiro Machado
1132. **O prazer das palavras** – vol. 3 – Cláudio Moreno
1133. **Morte na praia** – Agatha Christie
1134. **O fardo** – Agatha Christie
1135. **Manifesto do Partido Comunista (Mangá)** – Marx & Engels
1136. **A metamorfose (Mangá)** – Franz Kafka
1137. **Por que você não se casou... ainda** – Tracy McMillan
1138. **Textos autobiográficos** – Bukowski
1139. **A importância de ser prudente** – Oscar Wilde
1140. **Sobre a vontade na natureza** – Arthur Schopenhauer
1141. **Dilbert (8)** – Scott Adams
1142. **Entre dois amores** – Agatha Christie
1143. **Cipreste triste** – Agatha Christie
1144. **Alguém viu uma assombração?** – Mauricio de Sousa
1145. **Mandela** – Elleke Boehmer
1146. **Retrato do artista quando jovem** – James Joyce
1147. **Zadig ou o destino** – Voltaire
1148. **O contrato social (Mangá)** – J.-J. Rousseau
1149. **Garfield fenomenal** – Jim Davis
1150. **A queda da América** – Allen Ginsberg
1151. **Música na noite & outros ensaios** – Aldous Huxley
1152. **Poesias inéditas & Poemas dramáticos** – Fernando Pessoa
1153. **Peanuts: Felicidade é...** – Charles M. Schulz
1154. **Mate-me por favor** – Legs McNeil e Gillian McCain
1155. **Assassinato no Expresso Oriente** – Agatha Christie
1156. **Um punhado de centeio** – Agatha Christie
1157. **A interpretação dos sonhos (Mangá)** – Freud
1158. **Peanuts: Você não entende o sentido da vida** – Charles M. Schulz
1159. **A dinastia Rothschild** – Herbert R. Lottman
1160. **A Mansão Hollow** – Agatha Christie
1161. **Nas montanhas da loucura** – H.P. Lovecraft
1162.(28).**Napoleão Bonaparte** – Pascale Fautrier
1163. **Um corpo na biblioteca** – Agatha Christie
1164. **Inovação** – Mark Dodgson e David Gann
1165. **O que toda mulher deve saber sobre os homens: a afetividade masculina** – Walter Riso
1166. **O amor está no ar** – Mauricio de Sousa
1167. **Testemunha de acusação & outras histórias** – Agatha Christie
1168. **Etiqueta de bolso** – Celia Ribeiro
1169. **Poesia reunida (volume 3)** – Affonso Romano de Sant'Anna
1170. **Emma** – Jane Austen
1171. **Que seja em segredo** – Ana Miranda
1172. **Garfield sem apetite** – Jim Davis
1173. **Garfield: Foi mal...** – Jim Davis
1174. **Os irmãos Karamázov (Mangá)** – Dostoiévski
1175. **O Pequeno Príncipe** – Antoine de Saint-Exupéry
1176. **Peanuts: Ninguém mais tem o espírito aventureiro** – Charles M. Schulz
1177. **Assim falou Zaratustra** – Nietzsche
1178. **Morte no Nilo** – Agatha Christie
1179. **Ê, soneca boa** – Mauricio de Sousa
1180. **Garfield a todo o vapor** – Jim Davis
1181. **Em busca do tempo perdido (Mangá)** – Proust
1182. **Cai o pano: o último caso de Poirot** – Agatha Christie
1183. **Livro para colorir e relaxar** – Livro 1
1184. **Para colorir sem parar**
1185. **Os elefantes não esquecem** – Agatha Christie
1186. **Teoria da relatividade** – Albert Einstein
1187. **Compêndio da psicanálise** – Freud
1188. **Visões de Gerard** – Jack Kerouac
1189. **Fim de verão** – Mohiro Kitoh
1190. **Procurando diversão** – Mauricio de Sousa
1191. **E não sobrou nenhum e outras peças** – Agatha Christie
1192. **Ansiedade** – Daniel Freeman & Jason Freeman
1193. **Garfield: pausa para o almoço** – Jim Davis
1194. **Contos do dia e da noite** – Guy de Maupassant
1195. **O melhor de Hagar 7** – Dik Browne
1196.(29).**Lou Andreas-Salomé** – Dorian Astor

1197(30).**Pasolini** – René de Ceccatty
1198.**O caso do Hotel Bertram** – Agatha Christie
1199.**Crônicas de motel** – Sam Shepard
1200.**Pequena filosofia da paz interior** – Catherine Rambert
1201.**Os sertões** – Euclides da Cunha
1202.**Treze à mesa** – Agatha Christie
1203.**Bíblia** – John Riches
1204.**Anjos** – David Albert Jones
1205.**As tirinhas do Guri de Uruguaiana 1** – Jair Kobe
1206.**Entre aspas (vol.1)** – Fernando Eichenberg
1207.**Escrita** – Andrew Robinson
1208.**O spleen de Paris: pequenos poemas em prosa** – Charles Baudelaire
1209.**Satíricon** – Petrônio
1210.**O avarento** – Molière
1211.**Queimando na água, afogando-se na chama** – Bukowski
1212.**Miscelânea septuagenária: contos e poemas** – Bukowski
1213.**Que filosofar é aprender a morrer e outros ensaios** – Montaigne
1214.**Da amizade e outros ensaios** – Montaigne
1215.**O medo à espreita e outras histórias** – H.P. Lovecraft
1216.**A obra de arte na era de sua reprodutibilidade técnica** – Walter Benjamin
1217.**Sobre a liberdade** – John Stuart Mill
1218.**O segredo de Chimneys** – Agatha Christie
1219.**Morte na rua Hickory** – Agatha Christie
1220.**Ulisses (Mangá)** – James Joyce
1221.**Ateísmo** – Julian Baggini
1222.**Os melhores contos de Katherine Mansfield** – Katherine Mansfield
1223(31).**Martin Luther King** – Alain Foix
1224.**Millôr Definitivo: uma antologia de *A Bíblia do Caos*** – Millôr Fernandes
1225.**O Clube das Terças-Feiras e outras histórias** – Agatha Christie
1226.**Por que sou tão sábio** – Nietzsche
1227.**Sobre a mentira** – Platão
1228.**Sobre a leitura *seguido do* Depoimento de Céleste Albaret** – Proust
1229.**O homem do terno marrom** – Agatha Christie
1230(32).**Jimi Hendrix** – Franck Médioni
1231.**Amor e amizade e outras histórias** – Jane Austen
1232.**Lady Susan, Os Watson e Sanditon** – Jane Austen
1233.**Uma breve história da ciência** – William Bynum
1234.**Macunaíma: o herói sem nenhum caráter** – Mário de Andrade
1235.**A máquina do tempo** – H.G. Wells
1236.**O homem invisível** – H.G. Wells
1237.**Os 36 estratagemas: manual secreto da arte da guerra** – Anônimo
1238.**A mina de ouro e outras histórias** – Agatha Christie
1239.**Pic** – Jack Kerouac
1240.**O habitante da escuridão e outros contos** – H.P. Lovecraft
1241.**O chamado de Cthulhu e outros contos** – H.P. Lovecraft
1242.**O melhor de Meu reino por um cavalo!** – Edição de Ivan Pinheiro Machado
1243.**A guerra dos mundos** – H.G. Wells
1244.**O caso da criada perfeita e outras histórias** – Agatha Christie
1245.**Morte por afogamento e outras histórias** – Agatha Christie
1246.**Assassinato no Comitê Central** – Manuel Vázquez Montalbán
1247.**O papai é pop** – Marcos Piangers
1248.**O papai é pop 2** – Marcos Piangers
1249.**A mamãe é rock** – Ana Cardoso
1250.**Paris boêmia** – Dan Franck
1251.**Paris libertária** – Dan Franck
1252.**Paris ocupada** – Dan Franck
1253.**Uma anedota infame** – Dostoiévski
1254.**O último dia de um condenado** – Victor Hugo
1255.**Nem só de caviar vive o homem** – J.M. Simmel
1256.**Amanhã é outro dia** – J.M. Simmel
1257.**Mulherzinhas** – Louisa May Alcott
1258.**Reforma Protestante** – Peter Marshall
1259.**História econômica global** – Robert C. Allen
1260(33).**Che Guevara** – Alain Foix
1261.**Câncer** – Nicholas James
1262.**Akhenaton** – Agatha Christie
1263.**Aforismos para a sabedoria de vida** – Arthur Schopenhauer
1264.**Uma história do mundo** – David Coimbra
1265.**Ame e não sofra** – Walter Riso
1266.**Desapegue-se!** – Walter Riso
1267.**Os Sousa: Uma família do barulho** – Mauricio de Sousa
1268.**Nico Demo: O rei da travessura** – Mauricio de Sousa
1269.**Testemunha de acusação e outras peças** – Agatha Christie
1270(34).**Dostoiévski** – Virgil Tanase
1271.**O melhor de Hagar 8** – Dik Browne
1272.**O melhor de Hagar 9** – Dik Browne
1273.**O melhor de Hagar 10** – Dik e Chris Browne
1274.**Considerações sobre o governo representativo** – John Stuart Mill
1275.**O homem Moisés e a religião monoteísta** – Freud
1276.**Inibição, sintoma e medo** – Freud
1277.**Além do princípio de prazer** – Freud
1278.**O direito de dizer não!** – Walter Riso
1279.**A arte de ser flexível** – Walter Riso
1280.**Casados e descasados** – August Strindberg
1281.**Da Terra à Lua** – Júlio Verne
1282.**Minhas galerias e meus pintores** – Kahnweiler
1283.**A arte do romance** – Virginia Woolf
1284.**Teatro completo v. 1: As aves da noite *seguido de* O visitante** – Hilda Hilst

1285. **Teatro completo v. 2: O verdugo** *seguido de* **A morte do patriarca** – Hilda Hilst
1286. **Teatro completo v. 3: O rato no muro** *seguido de* **Auto da barca de Camiri** – Hilda Hilst
1287. **Teatro completo v. 4: A empresa** *seguido de* **O novo sistema** – Hilda Hilst
1289. **Fora de mim** – Martha Medeiros
1290. **Divã** – Martha Medeiros
1291. **Sobre a genealogia da moral: um escrito polêmico** – Nietzsche
1292. **A consciência de Zeno** – Italo Svevo
1293. **Células-tronco** – Jonathan Slack
1294. **O fim do ciúme e outros contos** – Proust
1295. **A jangada** – Júlio Verne
1296. **A ilha do dr. Moreau** – H.G. Wells
1297. **Ninho de fidalgos** – Ivan Turguêniev
1298. **Jane Eyre** – Charlotte Brontë
1299. **Sobre gatos** – Bukowski
1300. **Sobre o amor** – Bukowski
1301. **Escrever para não enlouquecer** – Bukowski
1302. **222 receitas** – J. A. Pinheiro Machado
1303. **Reinações de Narizinho** – Monteiro Lobato
1304. **O Saci** – Monteiro Lobato
1305. **Memórias da Emília** – Monteiro Lobato
1306. **O Picapau Amarelo** – Monteiro Lobato
1307. **A reforma da Natureza** – Monteiro Lobato
1308. **Fábulas** *seguido de* **Histórias diversas** – Monteiro Lobato
1309. **Aventuras de Hans Staden** – Monteiro Lobato
1310. **Peter Pan** – Monteiro Lobato
1311. **Dom Quixote das crianças** – Monteiro Lobato
1312. **O Minotauro** – Monteiro Lobato
1313. **Um quarto só seu** – Virginia Woolf
1314. **Sonetos** – Shakespeare
1315.(35).**Thoreau** – Marie Berthoumieu e Laura El Makki
1316. **Teoria da arte** – Cynthia Freeland
1317. **A arte da prudência** – Baltasar Gracián
1318. **O louco** *seguido de* **Areia e espuma** – Khalil Gibran
1319. **O profeta** *seguido de* **O jardim do profeta** – Khalil Gibran
1320. **Jesus, o Filho do Homem** – Khalil Gibran
1321. **A luta** – Norman Mailer
1322. **Sobre o sofrimento do mundo e outros ensaios** – Schopenhauer
1323. **Epidemiologia** – Rodolfo Sacacci
1324. **Japão moderno** – Christopher Goto-Jones
1325. **A arte da meditação** – Matthieu Ricard
1326. **O adversário secreto** – Agatha Christie
1327. **Pollyanna** – Eleanor H. Porter
1328. **Espelhos** – Eduardo Galeano
1329. **A Vênus das peles** – Sacher-Masoch
1330. **O 18 de brumário de Luís Bonaparte** – Karl Marx
1331. **Um jogo para os vivos** – Patricia Highsmith
1332. **A tristeza pode esperar** – J.J. Camargo
1333. **Vinte poemas de amor e uma canção desesperada** – Pablo Neruda
1334. **Judaísmo** – Norman Solomon
1335. **Esquizofrenia** – Christopher Frith & Eve Johnstone
1336. **Seis personagens em busca de um autor** – Luigi Pirandello
1337. **A Fazenda dos Animais** – George Orwell
1338. **1984** – George Orwell
1339. **Ubu Rei** – Alfred Jarry
1340. **Sobre bêbados e bebidas** – Bukowski
1341. **Tempestade para os vivos e para os mortos** – Bukowski
1342. **Complicado** – Natsume Ono
1343. **Sobre o livre-arbítrio** – Schopenhauer
1344. **Uma breve história da literatura** – John Sutherland
1345. **Você fica tão sozinho às vezes que até faz sentido** – Bukowski
1346. **Um apartamento em Paris** – Guillaume Musso
1347. **Receitas fáceis e saborosas** – José Antonio Pinheiro Machado
1348. **Por que engordamos** – Gary Taubes
1349. **A fabulosa história do hospital** – Jean-Noël Fabiani
1350. **Voo noturno** *seguido de* **Terra dos homens** – Antoine de Saint-Exupéry
1351. **Doutor Sax** – Jack Kerouac
1352. **O livro do Tao e da virtude** – Lao-Tsé
1353. **Pista negra** – Antonio Manzini
1354. **A chave de vidro** – Dashiell Hammett
1355. **Martin Eden** – Jack London
1356. **Já te disse adeus, e agora, como te esqueço?** – Walter Riso
1357. **A viagem do descobrimento** – Eduardo Bueno
1358. **Náufragos, traficantes e degredados** – Eduardo Bueno
1359. **Retrato do Brasil** – Paulo Prado
1360. **Maravilhosamente imperfeito, escandalosamente feliz** – Walter Riso
1361. **É...** – Millôr Fernandes
1362. **Duas tábuas e uma paixão** – Millôr Fernandes
1363. **Selma e Sinatra** – Martha Medeiros
1364. **Tudo que eu queria te dizer** – Martha Medeiros
1365. **Várias histórias** – Machado de Assis
1366. **A sabedoria do Padre Brown** – G. K. Chesterton
1367. **Capitães do Brasil** – Eduardo Bueno
1368. **O falcão maltês** – Dashiell Hammett
1369. **A arte de estar com a razão** – Arthur Schopenhauer
1370. **A visão dos vencidos** – Miguel León-Portilla
1371. **A coroa, a cruz e a espada** – Eduardo Bueno
1372. **Poética** – Aristóteles
1373. **O reprimido** – Agatha Christie
1374. **O espelho do homem morto** – Agatha Christie
1375. **Cartas sobre a felicidade e outros textos** – Epicuro
1376. **A corista e outras histórias** – Anton Tchékhov
1377. **Na estrada da beatitude** – Eduardo Bueno

L&PM POCKET
GRANDES CLÁSSICOS EM VERSÃO
MANGÁ

SHAKESPEARE
HAMLET

SIGMUND FREUD
A INTERPRETAÇÃO DOS SONHOS

FIÓDOR DOSTOIÉVSKI
OS IRMÃOS KARAMÁZOV

F. SCOTT FITZGERALD
O GRANDE GATSBY

MARX & ENGELS
MANIFESTO DO PARTIDO COMUNISTA

FRANZ KAFKA
A METAMORFOSE

JEAN-JACQUES ROUSSEAU
O CONTRATO SOCIAL

SUN TZU
A ARTE DA GUERRA

F. NIETZSCHE
ASSIM FALOU ZARATUSTRA

L&PM POCKET MANGÁ

Inio Asano
Solanin 1

Inio Asano
Solanin 2

Mitsuru Adachi
Aventuras de menino

lepmeditores
www.lpm.com.br
o site que conta tudo

IMPRESSÃO:

PALLOTTI
GRÁFICA

Santa Maria - RS | Fone: (55) 3220.4500
www.graficapallotti.com.br